湄 抒 김 동 철 시 집

비

움

의

미

학

비움의 미학

발　행 | 2024년 8월 9일
저　자 | 김동철
펴낸이 | 한건희
펴낸곳 | 주식회사 부크크
출판사등록 | 2014.07.15.(제2014-16호)
주　소 | 서울 금천구 가산디지털1로 119 A동 305-7호
전　화 | 1670-8316
이메일 | info@bookk.co.kr

ISBN | 979-11-410-9990-9

저자 소개

김동철(金東哲)
아호 : 미서湄抒
경북 경주시 출생, 울산광역시
거주. 한국방송통신대 행정학과
졸업. 예술인(문학부문),

(사) 샘문 이사. (사)한국문학작가회 시등단.
(사)다선문학 시조 등단. 한시 시조집『보고파
그리운 정』. 한시집『꽃잎은 나비처럼』. 공저
『100인 詩선집』,『첫 눈이 꿈꾸는 혁명』의 다수

코벤트가든 문학상(2024, 토지문학회).
한국문학상 특별작품상(2023). 윤동주 별
문학상(2023)
사회공헌상(2022, 한국노벨재단).

한용운 문학상 중견부문 최우수상(2021).
국회의원 표창(2021 코로나19 극복 꽃 시화전
공모). 샘터문학상 우수상. 독도문학상 우수상.
경기도의회 의장 표창. 송강문화축제 표창 등

詩를 열면서

夫 - 詩者는 人之心이 感物於形言이라
人之性情行爲矣 喜怒哀樂而榮枯成敗之其因
이지만 以詩敍懷면 歡樂而尤樂하고
哀愁而漸消하고 又善者益善하고
惡者變善하나니, 漢詩는 無限而感興感想이
誘發한다. 然하여 言則心聲이요 詩而心畵니
言通心中把握하고 畵通意向斟酌이라.

대저 - 시라는 것은 사람의 마음이 물질에
감화되어 말로 나타내는 것이다. 사람이 본래
갖고 있는 성질과 행하여지는 일은 기쁘고
성내고 슬프고 즐거움과 영화와 몰락 성공과
실패에 원인이 된다.

하지만 시로서 회포를 풀면 즐거움은 더욱
즐거워지고 슬픔은 점점 사라지고 또 착한
사람은 더욱 착하여지고 악한 자도 착한
사람으로 변할 수 있다.

한시는 한량없이 느끼는 흥취와 느끼는 생각이
원인이 되어서 일어난다.

그리하여 말인즉 마음의 소리요 시는 마음의
그림이니 말을 통하여 그 심정을 파악할 수
있고 그림을 통하여 그 의향을 짐작할 수 있다.

배움은 남에게 보여주기 위한 것이 아니라,
바로 자신의 인격도야와 자아실현을 위한
것이다. 옛 어른들의 가르침을 지키고 이어받되,
나만의 생각을 온전히 전달하기 위한, 인생의
깨달음을 얻기 위해 노력하는 것을 기본토대로
하여, 그 바탕 위에 현대 개인주의의 장점인
효율성과 합리성을 부여하여 양자의 조화를
이뤄야 한다.

세상사는 채울 때보다 비워야 할 때가 많다.
잔은 비울수록 여유가 있고, 비워야 비로소 채울
수 있다. 진실로 비어 있는 것은, 무한한 창조의
가능성이 있다. 인생사 살다 보면 알게 되는 비
움의 미학을 시조나 한시로 표현하고 있다.

목 차

[꽃비]

산촌에 비 그치니
곳곳에 채색 무늬
연초록 고운 비단 초목은 때 만난 듯
순식간 소담스럽게 피어나는 꽃망울

어여쁜 환한 미소
흔쾌히 어루꾀니
꽃구름 피어나듯 끝없이 눈 가는데
산벚꽃 황홀한 풍광 흥에 겨워 좋구나

맑은 향 상큼하게
화창한 바람 불어
하늘에 눈 내리듯 고운 잎 휘날리니
수놓듯 나그네 옷에 하얀 꽃비 내린다.

[무정無情]

나는 듯 탐스러움
목련꽃 수놓으니
아련한 추억 속에 그리움 지워 봐도
애타게 보고픈 마음 어찌할 수 없구나

먼발치 임의모습
한걸음 천리千里 같아
두 시선 마주치자 발걸음 얼어붙고
가슴은 두 근 되면서 나도 몰래 바쁘네

눈가에 물기 젖어
반가움은 넘치는데
속으로 애틋한 정 겉으로 말 못하니
차라리 무정한 것이 백번 더 낫겠구나

[십리 대숲]

하늘 창 뚫을 듯이
곧은 위엄 굳게 세워
굽은 세상 경종警鐘 울려 힘차게 뻗은 줄기
언제나 푸른 청춘은 너뿐인가 하노라

얽히고설킨 뿌리
반석 위 굳게 세워
폭풍우 몰아쳐도 또 다시 바로서니
세상사 응어리진 맘 자연 속에 배운다

한恨맺힌 마디마디
무엇 향한 집념執念인가
인고의 세월 속에 스스로 성숙하니
인생길 비움에 미학美學 겸허하게 느낀다

실바람 성긴 댓잎
서로 간 안부 묻고
까치 떼 지저귀니 청아한 맑은 화음
심금을 울리는 정취情趣 눈부시게 해맑다

[비움(無)]

 내 마음에 금전이나 물질을 탐내는 마음으로 가득 차 있으면 아무것도 들이지 못하고 혼자서 그 욕심慾心을 부여잡고 끙끙대다가 망가진다.

 사람이 물질에 대해서 가질 수 있는 관계는 친親하게 잘 어울리는 것과 취取해서 얻으려는 것이다.

 후자의 경우 물질을 얻으면 얻을수록 만족하지 못하고, 가지면 가질수록 더 가지고 싶은 물욕의 덫에서 벗어나야 한다.

 비움은 무엇을 뜻하는가? 무엇인가로 가득 차 있는 심리적 부담과 시각적 피로 같은 것에서 벗어나는 것이다.

 노자는 無의 작용에서 '쓸모없음의 쓸모 있음'의 비유로 질그릇의 경우에 찰흙을 이겨서 주전자나 병 따위의 그릇을 만드는데,

그렇게 만들어진 그릇의 내부에 아무것도 없이
비어있는 無의 부분이 있기에 그릇이 쓸모
있게 된다는 것이다.

 노자의 無爲는 無爲以無不爲의 약자로
"아무것도 하지 않지만 하지 않는 것이 하나도
없다"라는 뜻이다.

 무위에 이른 구체적 전략으로 외관의 생김새에
집착하지 말라는 無形, 무형의 쓰임새 같은
이기적 목적에 집착하지 말라는 無用이 있다.

 무형과 무용을 無爲以無不爲에 적용하면
"생김새를 버려야 진정한 생김새에 도달할 수
있으며, 쓰임새를 버려야 진정한 쓰임새를 얻을
수 있다"가 된다.

 미학美學 : 자연이나 인생 및 예술 따위에 담긴
미의 본질과 구조를 해명하는 학문으로,
우리에게 즐거움과 기쁨을 안겨주며 우리의
인생을 충실하고 행복하게 해준다.

그것은 있는 그대로의 형편이나 모양을
탐구하고 그 가치를 이해하려는 인간의 지적
관심에서 비롯된 노력이다.

[와디 럼 사막砂漠]

하늘 끝 맞닿은 듯 광활한 달의 계곡
달려도 달려가도 멋진 풍광 이어지니
흉중에 억눌린 마음
통쾌痛快하여 좋구나

풍화된 기암절벽 신비로운 붉은 사막
철 성분 산화酸化되어 천 백년 착색着色되니
숭고한 대자연 솜씨
무엇으로 비기랴

억겁億劫의 세월 속에 모래바람 이겨내며
갈리고 닳아지며 홀로 남은 거북바위
시련 속 깨우친 섭리攝理
무슨 사연 말하나

사소한 시비 속에 제멋에 사는 인생
숨 막힐 듯 힘든 시기 지나보니 은혜恩惠드라
세상사 도리에 맞게
겸손謙遜하게 살라네

와디 럼 사막은 아랍어로 달의 계곡이라 하며
유네스코에 등재된 요르단의 붉은 사막은 모래
속 금속의 산화로 붉은색을 띤다.

3억 년 전 바다의 융기 작용으로 바위산
형성되어 요르단의 최고봉 제벨 움 아다미,
모래사막뿐만 아니라 화강암, 사암, 화산암 등
다양한 바위산이 있다.

섭리攝理 : 자연계를 지배하고 있는 원리와
법칙으로, 자연에는 크게 두 가지 의미가 있다.

하나는 인간의 손이 닿지 않은 것을 의미하는
좁은 의미의 자연, 또 하나는 인간을 포함한
생태계와 자연계를 의미하는 넓은 의미의
자연이다.

그리고 자연의 섭리를 이야기할 때는 넓은
의미의 세상에 태어나면 죽을 수밖에 없는
대자연을 칭한다.

[연서戀書]

어젯밤 이슬비에
산뜻이 목욕한 듯
골마다 피고 지는 꽃구름 한창이라
나그네 풍광風光에 취醉해 가던 길도 멈춘다

봄맞이 하소연에
싹트는 연분홍 꿈
임 찾는 장끼 소리 메아리쳐 들려오니
남몰래 보고픈 사람 그리움만 쌓이는데

산 벗꽃 휘날리어
띄우는 꽃잎편지
옥류천도 아는 듯이 진중珍重이 받아들고
맴돌다 용솟음치며 거침없이 달리네

인생사 고진감래苦盡甘來
고운 정 나누면서
업業궂어 서러운 몸 씨름을 씻어내는
메마른 사랑에 갈증渴症 어느 때나 풀릴까

*업(業)

카르마(karma)의 번역어로 불교나 흰두교에서
말하는 미래에 일어나는 일의 원인이 되는
선하거나 악한 행동으로 업보(業報)라고도 한다.

그러면서도 인간의 정신적인 의지와 같은 것은
물론 몸과 입, 의지로 짓는 말과 동작과 생각,
그리고 그 원인과 결과를 뜻한다.

흰두교에서 카르마는 그 자신의 행위에 결과에
따른 것으로 '윤회'를 낳는다.

이러한 잠재적 세력으로서의 카르마는 현재와
미래에 인간의 행동을 결정하는 사고에 큰
영향을 미친다.

그리하여 모든 카르마는 미래의 카르마의
씨앗이 되어 행위의 결과에 따른 그 열매로서의
결실은 기쁨과 슬픔의 형태로 나타난다.

카르마는 도덕적 세계의 행위와 반작용의 법칙,
즉 뿌린 대로 거두는 업의 법칙을 보여주고

있다. 모든 인간이 이 카르마의 법칙에 벗어나지 못하지만, 인간은 이 카르마의 속박에서 벗어날 것인가 아닌가 하는 문제는 스스로 자기의 의식 속에서 선택할 수 있다.

인간이 스스로 내면에 참 자아인 아트만(절대로 변치 않는 가장 내밀하고 초월적인 자아)을 지니고 있기 때문이다.

그리하여 신에게 복종하면 선한 카르마를 낳고 나쁜 카르마를 소멸시킴으로 카르마의 속박에서 벗어나게 된다.

그렇게 하여 일단 깨달음의 해탈에 이르게 되면 새로운 카르마는 형성되지 않는다.

[방하착放下着]

잡힐 듯 잡힐 듯이
잡히지 아니하는
허깨비 형상 쫓아 살아온 버거운 맘
남보다 잘살아보자 욕심慾心때문 아니였나

힘들면 쉬어가고
소나기는 피해야지
행여나 뒤처지나 공연한 근심걱정
미련한 어리석음도 내려 놓고 가라네

배워서 쌓아가며
물어서 판단하고
어질게 행동하고 너그럽게 베푸는 맘
노력努力은 수단手段이 아닌 그 자체가
目的이니

올 때도 빈손이고
갈 때도 빈손이니
힘에 부친 무거운 짐 내려놓고 살라시네
텅 빈 듯 가득한 겸손 하늘의 이치 아니던가

중국 당나라 때 엄양스님이 조주스님에게 물었다. "한 물건도 가지고 오지 않았을 때, 그 경계가 어떠합니까?" 이에 조주스님이 "내려 놓거라(放下着)"라고 하셨다.

그러자 엄양스님이 "한 물건도 가지지 않았는데 무엇을 방하착 합니까?"라고 다시 묻자 "그러면 지고 가거라(着得去)"라고 대답하셨다.

인생은 흘러가는 것이 아니라 채우고 비우는 과정의 연속이다. 무엇을 채우느냐에 따라 결과는 달라지며, 무엇을 비우느냐에 따라 가치가 달라진다.

진공묘유(眞空妙有)의 깨달음은 가르치거나 대신 깨달아 줄 수 없다는 것이다.

百尺竿頭進一步라(어떤 목적이나 경지에 도달하였어도 거기서 멈추지 않고 더욱 노력하라)'내려 놓거라'그리고 좀 더 나아가라.

- 20 -

하나도 없다는 마음도 쏠려 매이는 것이니 그 의심에 실마리를 좀 더 '지고 가거라.' 인생길 수많은 시행착오와 인연도 배우고 깨우쳐가는 과정이다.

진공묘유(眞空妙有)
진공은 '참다운 공'을 말하며, 묘유는 '묘하게 존재함'을 의미한다.

먼저 空을 이해하는 것에 있어서 그것은 없다는 말이 아니라 비어있다는 말이다.

無는 있던 것이 없어진 것이고, 空은 원래부터 없는 것이며 고정된 주체(자아)가 없다는 뜻이다. 즉 '나'라는 '실체가 없다'는 말이다.

세상사는 채울 때 보다 비워야 할 때가 더 많다. 잔은 비울수록 여유가 있는 것처럼, 어물어물하지 말고 텅 비우면 오묘한 일이 일어난다. 비워야 비로소 채울 수 있고, 바르게 비우면 텅 빈 것이 아니라, 텅 빈 가운데 속이 꽉 차 있는 것이다.

[풍림만보楓林晚步]

옥녀봉玉女峯 열두 고개
찬 서리 맑은 기운
이슬 맺힌 초목마다 무르익은 고운 단풍
기쁜 날 회상하면서 나비 되어 춤추며

어린 눈嫩 청춘가고
황혼에 상풍霜楓되어
갖가지 사연 속에 처절한 아름다움
업業궂어 아쉬운 마음 시절인연 떠나니

애정과 욕심으로
가득한 이내 마음
세상사 부질없는 벗지 못한 얽매임에
하얗게 센 귀밑머리 가는 세월 어찌하랴

첩첩히 쌓인 낙엽
널브러진 산길마다
살아온 날보다는 살아나갈 애틋한 삶
참다운 이상理想를 찾아 가야할 길 묻는다

시절인연時節因緣 : 명나라 말기의 승려
운서주굉雲棲袾宏이 편찬한
'선관책진禪關策進'이라는 책에 나온 말로,
'시절인연이 도래하면 자연히 부딪혀 깨쳐서
소리가 나듯 척척 들어맞으며 곧장 깨어서
나가게 된다.'라는 구절에서 따온 것이다.

현대에는 모든 인연은 때가 있다는 뜻으로
통하며 때가 되면 이루어지게 되어 있다는
뜻이다.

또 인연의 시작과 끝도 모두 자연의 섭리대로
그 시기가 정해져 있다는 뜻도 있다.

[참다운 이상理想]

캄캄한 밤하늘에 맨눈으로도 잘 보이는
북극성이 주는 것은 방향인데, 확실한 방향을 줄
수 있는 것은 무한히 높이 있기 때문이다.

 따라 가도 따라 가도 잡을 수 없기에 길잡이가
된다.

 우리는 사람들이 생각할 수 있는 범위 안에서
가장 완전하다고 여겨지는 상태를 이상理想이라
한다.

 그 이상은 기대를 현실에 이루는 것이 아니라,
인생의 방향을 주는 것이기에 높고 멀리 있어야
한다.

 힘써도, 힘써도, 그대로 되지 않기 때문에,
사람들을 이끌어 갈 수 있다.

 이상을 가진 사람은 자기가 좌절挫折해 있어도,
이상이 좌절한 것은 아니다.

그 근본은 스스로 하는 것이므로, 오늘날
젊은이들은 어둡고 암담한 침체의 고루한
현실을 버리고 참신한 생명력이 가득 찬
기상氣像과 절개節槪로 나를 깨워 일으키는
참다운 이상을 찾아야 한다.

[모정母情]

자신 위해 사는 인생 하루라도 있었는가
모진 풍파 자식위해 고생하신 많은 세월
어머니 크나큰 사랑 잊을 수가 없구나

모처럼 모인 가족 저마다 분주한데
잘난 자식 출세出世걱정 못난 자식 식구걱정
저마다 하소연하니 무엇이라 말하나

집 지키라 핑계 삼아 함께 살고 싶은 마음
이런 문제 저런 이유 자식들은 떠나가니
먼 하늘 바라보면서 한숨 쉬며 속 태운다

제 살길 핑계 삼는 철부지 못난 욕심
몸이라도 건강해야 객지 생활 이겨내지
어머니 간절한 기도祈禱 쉬는 날이 없구나

[당신當身]

가진 것 하나없이 젊다는 밑천으로
쓰던 달든 삼켜가며 세상 풍파 이겨내랴
고생苦生한 까칠한 모습 미안한 맘 어쩌나

모두가 못 믿어도 끝까지 신뢰하고
내일은 잘 될 거야 삶에 용기 힘을 주며
힘들 땐 기도하자고 위로하던 어진아내

언제나 겸손하게 배려하고 소통하니
온가족 힘을 합쳐 무거운 짐 함께 지며
화목和睦한 즐거운 가정 꽃피울 수 있었지

사는 게 버거워서 챙기지 못한 행복幸福
잘해주지 못한 것이 안타까워 애틋한데
진실로 고마운 사랑 무엇으로 답答하나?

[귀향歸鄕]

백운산 작은 샘터
골마다 모인 개울
해맑은 옥빛 줄기 청룡이 뒤트는 듯
밤낮을 쉬지도 않고 어디 가려 바쁜가

어스름 저녁 햇살
물가의 모래톱엔
기러기 짝을 찾아 앉았다 흩어졌다
억새꽃 사이에 두고 숨바꼭질 하는가

사는 일 버거워서
뒤늦게 찾은 고향
빈 집터 돌담길에 빨갛게 익은 석류
숨겨둔 그리움 하나 나도 몰래 터지는데

강산도 십년이면
변하다 말을 하지
나 닮은 사람들은 하나 둘 떠난 뒤라
낯 설은 늙은이 보며 누구신가 묻는다.

[나이아가라 유람선]

물안개 휘날리는 하늘엔 쌍무지개
까마득 넓은 강폭 꽉 채운 많은 수량
물줄기 용湧솟음치니 하늘 은하銀河 내렸나

천지를 뒤흔드는 우렁찬 세찬줄기
은백색 물거품을 쉼 없이 쏟아내니
물보라 마구 휘날려 폭우처럼 내린다

물굽이 혼줄 나서 마음을 졸이면서
아이처럼 천진난만 이리 뒤뚱 저리 흔들
멀미에 물벼락 맞고 어찌 그리 좋은가

자연은 무한한데 인생은 순간이나
마음이 청춘靑春이면 늙음도 빗겨가니
실實없는 나이야 가라 소리치며 웃는다

[안부安否]

온천지 찌는 듯한
무더위 무서워도
짙푸른 가지 끝에 끊길 듯 이어지는
물매미 한 맺힌 가락 어느 절창絶唱 비기랴

연못가 작은 터에
소일삼아 가꾼 텃밭
벌들은 바쁜 듯이 호박꽃에 들락날락
짝 찾는 고추잠자리 꽁지 물고 맴도니

그림자 놀란 고기
쏜살같이 내달리니
살며시 흔들리는 청순한 앳띤 모습
수련睡蓮의 해맑은 향기 은은하게 취하네

제멋에 사는 인생
어찌 사냐 묻지 마소
있으면 있는 대로 없으면 없는대로
값없는 하나님 은혜恩惠 감사하며 산다오

[휴가休暇]

찌는 듯 불볕더위 만상이 늘어지고
짙푸른 싱그러움 온 땅을 뒤덮으니
이따금 뻐꾸기 소리 무료함을 달래며

인생사 천고만난千苦萬難 훌훌 털고 떠나온 길
가슴에 책을 얹고 이리 뒹굴 저리 뒹굴
흥겨운 매미 소리에 맑은 바람 즐기는데

먼 하늘 뭉게구름 퍼졌다 흩어졌다
홀연히 모여들어 먹구름 천둥 치고
후두둑, 소낙비 내려 한순간에 지나가네

쓴 뿌리 묵은 상처 어느 땐가 새살 날까
숨 가쁜 저울질에 행복이란 잣대 하나
매사每事에 감사하는 삶 의지 삼아 키운다

탈무드는 "인간은 가끔 손을 떼려고 함에 따라 오히려 큰 것을 만든다."라고 가르치고 있다.

이것은 화가가 그림을 그릴 때 화면에서 좀 더 떠나, 때로는 쉬면서 멀리서 보는 것이 필요하다.

이로 인해 여유를 탄생시키고 유연성을 빚어낸다. 휴가는 자기소생의 시간이다.

낭비하는 시간이 아니라, 자기를 파악하기 위해 있는 것으로, 자기가 자기를 끌어내는 창조적인 휴가가 필요하다.

봉사奉仕

덤으로 사는 세상 소일거리 찾다 보니
갈 곳도 오란데도 늙은이라 퇴물 취급
맘 바꾼 사회적 봉사 건강에도 최고라

버리긴 아까운데 남 주긴 미안未安하여
고장 나 보낸 완구玩具 새것처럼 고쳐주니
기뻐서 어쩔 줄 몰라 아이들도 춤춘다

온 동네 입소문에 장난감 무료수리
폐기물 재활용에 환경보호 실천하며
사소些少한 허드렛일도 행복감은 커가니 예부터
기술技術이란 자연의 이치 알아 슬기롭게
활용하는 인간의 능력能力이니 나누고 베푸는
기쁨 세상 재미 아니던가.

[학무鶴舞]

까만 갓 붉은 정단頂端
창공을 맞이하듯
하늘 길 휘날리니 자유롭고 여유로워
곧은 선線 스스로 돌아 곡선 이뤄 휘 도네

휘어져 감기 우고
다시 접어 뻗은 손이
까치발 상큼하게 하얀 도포道袍 나는 듯이
허공에 바람 가르니 물결치듯 고와라

긴 목을 치켜들고
오실 임 기다리다
아미蛾眉를 숙이고서 아쉬운 듯 돌아서니
한恨 풀이 굿거리장단 애간장 다 녹는다

마음이 지척咫尺이며
천리 길도 지척인데
약속하고 못 오시니 무슨 약수弱水 가렸는가
업業궂은 서러운 사연 어느 누가 알리요

[둥지]

하나 둘 가지 모아 차곡차곡 집을 짓고
어미는 알을 낳고 애비는 먹이 물어
새끼들 커가는 기쁨 떠들썩한 온 동네

사랑 속에 자란 자식 나풀나풀 하늘 날며
짝 찾아 먹이 찾아 세월 가니 모두 가고
찬 서리 뼈를 에이듯 홀로 남은 빈 둥지

시들은 마른 줄기 싹트는 봄이 오면
옛정이 그리워서 행여나 돌아올까
떠난 이 기다리는 맘 서러워서 애달프다

[순정純情]

한줄기 모진 풍파 소나기 지나가니
야생화 고운 입술 해맑은 향기 나고
한가한 고추잠자리 푸른 하늘 맴돈다

말하지 않고서도 와 닿는 눈빛 속에
살며시 수줍은 듯 언제나 살가운 임
남몰래 엉킨 실타래 풀어볼 수 없는지

긴 세월 홀로 맞선 한恨맺힌 버거운 삶
남몰래 지켜보는 이성理性이란 허울 앞에
속타는 안쓰러운 맘 어느 누가 아는가

무심한 세월 지나 노을빛 붉게 탈 때
옛날과 다름없이 차茶한잔 마주 놓고
영화映畵속 사랑방 손님 나였다고 말하리

[초록 꿈]

숯검정 화강토花崗土길 돌무지 쌓인 언덕
틈새를 비집고 선 화마火魔가 덮친 나무
삭정이 맺힌 눈물을 어느 누가 아는가

산바람 뿌린 풀씨 단비가 살려내니
민둥산 사방사업砂防事業 만물萬物이 서로도와
치열한 삶의 욕구欲求로 여린 싹을 피우니

지난 일 모두 잊고 청정한 위용으로
서로 얼굴 비비면서 일어서는 산천초목
푸른 꿈 가슴에 안고 희망가希望歌를 부른다

장자는 살아가는 이치를 깨닫고 정신을 맑고
깨끗하게 가다듬는 방법으로 人間世 편에
공자와 제자 안회의 대화를 통해 제시하고 있다.

"공자가 말하기를 자네는 專心一志하여, 귀로써
듣지 말고 心으로 듣고, 마음으로 듣지 말고
氣로써 들어라,

귀는 듣는 데서 그치고, 마음은 符合하는 데서
그치라, 氣라는 것은 虛하되 어떤 사물이든지
받아들일 수 있는 것이다.

오로지 道만이 虛를 모여들게 한다. 虛하게 되는
것이 곧 心齋이다.

"여기서 보듯이 심재란 感官을 청소하고 心을
깨끗이 비움으로써 궁극적으로 虛의 세계를
이루는 목표로 하고 있음을 알 수 있다.

[희망고문希望拷問]

행여나 누가 알까
첫새벽 집을 나와
일자리 구직求職센터
기웃되는 중늙은이
취업난 바늘구멍을
뼈저리게 느낀다

반평생 직장생활
무던히 지냈는데
불경기 경제난에
어려운 살림살이
가슴속 서러운 사연事緣
서리보다 시리다

물가物價는 오르는데
수입收入은 줄어드니
갈수록 힘 드는
버거운 세상살이
자연히 불가항력不可抗力도
순리대로 배운다

시련이 복福이 될지
어느 누가 알겠는가
변하고 바뀌는 게
세상사 이치이니
인생사 새옹지마塞翁之馬라
웃는 날도 오겠지

[입바른 소리]

양반은 양반인데
답답한 양반이라
모두가 잘 났다고 속이고 속는 세상世上
신뢰信賴는 마음에 견지堅持
모든 근본根本 이라며

사람이 사람답게
사는 게 사람이지
인심人心이 어진 사람 심성心性도 곱다시며
모든 일 사리事理에 밝게
순리順理대로 하라네

이웃에 아픈 사정事情
내 일처럼 챙기시며
온 동네 휘어잡고 도포자락 휘날리며
언제나 입바른 소리
금정어른 그립다

한漢나라 유향劉向이 황실과 민간에 소장된
관련 자료를 집록集錄한 후 선택하며 분류하고
정리하여 편찬한 역사歷史 고사古事의 모음집인,
설원說苑은 유가의 정치사상과 윤리 도덕의
관념을 깊이 반영하였는데, 늙은 나이에 학문을
배우고 익히는 것은 어둠 속에 촛불을 밝히고
가는 것과 같다는 이야기가 있다.

옛날 진나라 평공이 사광에게 물었다. "내 나이
칠십이라서 배우고는 싶지만, 이미 늦은 것
같소." 사광이 아뢰었다.

"어려서 배우기를 좋아하는 것은 아침에 해가
뜨는 햇볕 같고, 장성해서 배우기를 좋아하는
하늘 한복판에 오른 햇빛과 같고,
늙어서 배우기를 좋아하는 것은 촛불의 밝음과
같다고 했습니다.

촛불을 밝히고 가는 것과 어둠 속에서 가는 것,
중에 어느 것이 더 낫겠습니까?

說苑 建本 : 昔晉平公問 于師曠曰 ”吾年 七十
欲學 恐已莫矣“ 師曠曰.... 臣聞之......
少而好學 如日出之陽　壯而好學 如中之光
老而好學 如炳燭之明 炳燭之明 孰與昧行乎?

[서울 집 마련]

별 보고 집을 나와 달 보고 귀가하며
입술에 피멍드는 맵고 떫은 세상살이
비우는 소주잔 같아 서러움을 마신다

쥐꼬리 수입 속에 집값은 천정부지天井不知
누더기 슬픈 욕심 털지 못한 미련하나
서민들 어느 천 년에 내 집 장만 하겠나

지위도 돈도 없는 중년中年의 삶과 한恨은
적막 속 걸어가는 빈껍데기 대출貸出인생
가슴속 이 허한 바람 어느 누가 아는가

 세상 및 인생의 모든 일이 이미 정해진 운명에
있어서 어찌할 수 없다고 생각하는 사고방식이
숙명宿命이다.

 이는 압박된 자의 철학이요 생명의 갇힘이다.
이는 그저 져버린 자로 스스로 위로하고
단념하려 한다.

그러나 고난을 이긴 자는 전투적인 생활관을
가진 프로메테우스 같은 것이다.

프로메테우스 : 그리스 신화에서 그의 이름은
'먼저 생각하는 자'라는 뜻으로 미래를 내다보는
지혜를 상징한다.

그는 제우스의 명령을 어기고 인간에게 불을
주어 많은 이들에게 존경과 원망을 동시에
받았다.

제우스는 그에게 혹독한 형벌을 내리지만
인간의 한계를 도전하는 정신을 강조하는 그의
행위는 인간의 끝없는 도전과 발전 정신을
나타낸다.

[새벽산행]

산하에 초록향연
넘치는 맑은 기운
밤꽃 향 그윽하여 코끝을 간질이고
석류꽃 맛깔스럽게 속살 붉어 곱구나

울리는 뻐꾹 소리
푸른 숲 손짓하니
갓밝이 산행 친구 언제나 반가운데
오가며 사는 이야기 내 일처럼 정겹다

실가지 꺾어 들고
거미줄 걷어주며
낯선 길 배려하는 따뜻한 고마움에
버거운 깔딱 고개도 아이처럼 즐거워

산딸기 꼭꼭 숨어
빨갛게 익어가듯
살가운 누이 같은 우애友愛는 깊어가니
상큼한 소소小小한 행복 나도 몰래 설렌다

[서리꽃]

긴 밤을 지새우는
옥녀의 한恨이런가
싸늘한 별빛 속에 하늘 끝 차가움이
임 그려 사무친 원망怨望 스며들어 시리다

밤마다 연출되는
욕망의 허기속에
메마른 초목들은 하얗게 머리세니
가슴속 해묵은 상처傷處 베어내듯 아리다

은가루 분신 뿌려
영원을 맹세하듯
미움도 사랑되길 잠시라도 소망하니
눈꽃 핀 서러운 사연事緣 애타도록 심란타

아침 해 떠오르니
은색자태 뽐내지만
떠날 때 아는지라 이슬 되어 흘린 눈물
고뇌苦惱속 성숙成熟한다며 안녕이라 말하네

[슬도瑟島 등대]

깊은 밤 인적 없는
방파제 해상공원
사나운 거센 파도 쉼 없이 몰아치니
애끊는 거문고소리 함지박 섬 울리는데

캄캄한 바다 향해
먼 뱃길 안내하며
등탑불 광파표지光波標識 섬광등 번쩍이니
항해등 반딧불같이 깜박이면 답한다

고깃배 삶의 터전
선착장 오고 가며
낯익어 화답 한지 몇몇 해 지났던가
언제나 반가운 친구 해상항로海上航路 지킴이

[꽃 바위]

해돋이 만조滿潮해안 황금빛 우쭐우쭐
흔들려 요동치며 물보라 휘날리니
고개든 선돌봉우리 쌍무지개 뻗치는데

검회색 돌 부딪혀 흰 거품 남긴 자리
벗은 몸 들어날까 애타는 조바심에
수줍게 여미는 가슴 곱디고운 꽃 바위

점점이 울쑥불쑥 하얀 꽃 피고 지듯
세파世波에 흔들리는 인생사도 가지가지
꿈꾸는 희망의 나래 갈매기 떼 춤춘다.

[산다는 것]

오르막 있다하면 내리막도 있는 듯이
잘살고 못 사는 건 모두가 자연이치
무던히 큰 허물없이 사는 것이 행복이라

험난한 고해苦海라도 마음먹기 나름이니
때로는 실패 속에 배워가며 철이 들지
고난과 역경 없이 사는 삶이 어디 있나

애증愛憎의 세월 속에 수없이 번민하며
일곱 번 넘어져도 여덟 번 일어나는
시련에 단련되면서 살다보면 거듭나지

작은일 감사하고 성실히 노력하면
무의식속 바라는 삶 현실 속에 이뤄지니
인생은 편안便安길 보다 바른길이 좋다네

[아까시 꽃]

적막한 외진 마을
실개천 언덕배기
가지 끝 몽글몽글 하얀 꽃 휘날리고
단내에 신이 난 벌들 춤을 추며 반기니

소 몰아 꼴 먹이며
누이와 심심풀이
홀수의 깃꼴 겹잎 한잎 두잎 팅기면서
정답던 가위바위보 꿈속같이 아련한데

가난한 산촌 싫어
돈 벌러 떠난 친구
사는 게 버거운지 지금도 소식 없고
무성한 아까시 숲엔 뻐꾹 소리 울리니

숨 가쁜 세상살이
묻어둔 추억들이
연두색 작은 가시 손끝에 찔린 듯이
남몰래 그리운 마음 뼈저리게 아린다

[몽돌]

끝없는 넓은 바다
하늘과 맞닿으며
흰 거품 토해내며 만파萬波에 출렁이니
타관 땅 십여 년 세월 삶에 풍파 몇인가

돌덩이 돌고 굴러
모난 것은 깨어지고
흔들려 요동치며 갈리고 닳아지듯
시름에 얽매인 삶도 적응하며 변하니

긴 세월 거센 물결
둥근 돌 구르듯이
서로를 배려하는 선善한 본성本性 회복하여
인생사 모나지 않게 살고 싶은 꿈인가

존심양성存心養性

마음을 보존하고 본성을 기른다는 뜻으로
<孟子>에 유래한다. 사람이라면 갖고 있는
양심良心을 지키고 타고난 천성을 수양해야
한다는 말이다. 내적 성찰을 통하여 선한 본성을
회복하고 지켜 자아를 완성하는 것을 추구한
유교儒教의 수양 방법이다.

[겸암정사 謙菴精舍]

깎아 세운 부용대芙蓉臺
실안개 사라지고, 더 넓은 금 모래펄
은물결 찰랑대니
비탈길 지나는 길손, 풀 내 가득 취하네

세상 욕심 버리고, 의존한 하늘 이치
자연 속 학문 몰두, 스스로 수양하니
꽉 차도 텅 빈 것처럼, 어진 선비 뉘런가

신의로 강론하신, 단출한 은둔 학당
후학들 삶의 도리, 겸허謙虛가 근본이라
스스로 몸을 낮추신, 참된 스승 먼저라

어질게 살아가며, 중용中庸의 덕德 실천하고
높은 뜻 받들면서, 옛 자취 찾은 기쁨
선현들 베푸신 은애恩愛, 안빈낙도 즐긴다

겸암정사謙菴精舍 : 안동시 풍산면 광덕리에
위치한 류운룡(柳雲龍, 1539~1601)의 별서이다.
류운룡의 자는 응견應見, 호는 겸암謙嵒이며
본관은 풍산豊山, 중영仲郢의 아들이고 서애
류성룡(柳成龍,1542~1607)의 형이다.

이황(李滉, 1501~1570)의 문인이었으나 벼슬을
위한 과거 공부보다는 겸암정사를 세워 순수
학문에 열중했다. 겸암 이라고 호를 지은 것은,
겸허한 자세로 내적 수양에 정진하겠다는
의미를 담고 있다.

경북 안동시 풍천면 광덕리 37번지에 위치하고
있고, 건물은 중층누각식重層樓閣式의
팔작집으로 지어져 있다. 현재 중요 민속자료
제89호로 지정되어 있다.

류운룡은 안동 현감을 거쳐 선조 25년(1592)
임진왜란 때에 사복시司僕寺 첨정僉正이 되고
이듬해 풍기 군수를 거쳐 선조 28년(1595) 원주
목사에 이르렀으며 이조 판서에 추증되었다.

이 현판은 검정색 바탕에 흰 글씨의 해서체로 씌어 있다. 조선 중기의 명필이었던 원진해元振海가 쓴 글씨라고 한다. 이 현판 외에 이황이 쓴 겸암정謙嵒亭이라는 현판도 있다.

[주왕계곡周王溪谷]

하느님 우로은덕雨露恩德
녹음도 무성한대
장엄한 기암괴석
어우러진 깊은 골짝
나그네 좋은 경치에
흥취興趣일어 걷는다

앞산에 뻐꾹 소리
뒷산에 화답하고
바위 골 용추폭포龍湫瀑布
물소리 청아한대
야생화 가득한 숲속
초록향연 곱구나

솔 내음 향기 짙은
실안개 산자락에
급수대汲水臺 주상절리柱狀節理
그리움 피어나니
정든 임 보고픈 마음
어디에다 말할까

석병산石屛山 좋은 경치
신선동 여기든가
긴 세월 갈고 닳은
인생사 굴곡屈曲인가
아득히 산 너머 또 산
끝도 없이 있더라

주왕계곡周王溪谷 :택리지擇里志의 저자
이중환은 이 주왕산을 일러 '모두 돌로써 골짜기
동네를 이루어 마음과 눈을 놀라게 하는
산'이라고 했다.

기암 등은 유네스코 세계지질공원 명소
24개소가 분포되어 있다.

우리나라 3대 암산의 하나이다. 주왕계곡은
기암이 병풍처럼 용립해서 절경을 이루어
이곳에는 뛰어난 자연경관 요소가 많다.

청학과 백학이 살았다는 학소대, 앞으로 넘어질
듯 솟아오른 급수대, 주왕과 마장군이 격전을
가졌던 기암, 주왕의 아들과 딸이 달구경을
하였다는 망월대, 멀리 동해가 보이는 험준한
지형의 왕거암, 주왕이 숨었다가 숨진 전설의
주왕굴, 그리고 폭포, 약수 등 뛰어난 경관이
많다.

[반구대盤龜臺]

고헌산高獻山 남쪽기슭 뻗어 내린 깊은 골에
맑은 물 휘돌아서 반도半島를 이뤘는데
엎드린 거북이형상 거울 위에 비추니

작은 언덕 정수리는
반고서원盤皐書院 유허비遺墟碑라
옥천선동 휘돌아서 이루는 층첩 암벽
탄복한 겸재謙齋화백은 산수화山水畵를 그렸네

예로부터 경향 각처 찾아온 시인묵객
시詩 읊고 풍광 즐겨 학문 수행 하던 곳에
삼선현三先賢 흔적 찾으나 인간사는 변하고

자연을 벗을 삼아
풍진風塵세상 호령號令하며
칼날같이 읊으시던 선비들 간곳 없어
집청정集淸亭 해맑은 기운 세월 무게 힘겹다

삼선현 : 포은(圃隱)정몽주. 회재(晦齋)이언적.
한강(寒岡)정구

겸재謙齋 : 겸재 정선(1676~1759)은 조선
후기에 활동한 문인 화가로서 진경산수화가
대대적으로 유행하는 계기를 만든 선구적인
인물이다.

진경산수화眞景山水畵 : 우리나라 산하를 직접
답사하고 화폭에 담는 산수화다. 조선 후기의
화가 조영석은 "그림으로 그림을 전하는 것은
잘못된 것이니 물체를 직접 마주 대하고 그
眞을 그려야 곧 살아있는 그림이 된다."고
하였다.

집청정集淸亭은 1713년(숙종 39년) 건너편
반구대가 보이는 곳에 운암(雲巖)
최신기(1673~1737년)가 건립한 정자로
반구정盤龜亭으로도 불리는데 정자에서 보이는
거북 모양의 바위산 대곡천의 경치는
천하절경이다.

[찔레꽃]

아이들 오손도손 궁핍한 산골 동네
주걱새 우는소리 배고픈 한恨이여도
타고난 착한 본성은 너도 나도 형제라

품앗이 간 엄마오길 애타게 기다릴 때
옆집 누이 건네주던 찔레 순 아련한 맛
애틋한 정情만 남아서 지금까지 아리는데

돈 벌어 돌아올게 울며불며 다짐하며
부잣집 식모살이 서울간지 소식 없어
사는 게 버거운 건가 고향생각 잊은 건가

생활은 풍족하나 마음은 가난하여
그리워 보고픈 맘 꽃처럼 피고 지니
하얀 꽃 은은한 향기 추억追憶들만 애달프다

주걱 새 : 소쩍새

품앗이 : 힘든 노동 서로 거들어 주며 품을 지고
갚고 하는 일

찔레 : 산에 오르다 보면 가시덤불을 이루어
산행을 힘들게 하는 하나가 찔레다. 봄이 한창
무르익을 때쯤 하얀색 또는 연분홍 꽃이 피는데
소박하면서 은은한 향기와 함께 흰색을
좋아하는 우리 민족의 정서와 아주 잘 맞는다.

[옥잠화玉簪花]

깊은 밤 피리소리 일촌간장一寸肝腸 다 녹는데
천상에 선녀님도 연주演奏 청해 정이 드니
날 새며 떠나야 하는 아쉬운 맘 어쩌랴

이별에 정표情表라며 빼어준 머리비녀
순식간 떨어져서 땅 부딪혀 깨어지니
옥비녀 닮은 하얀 꽃 피었다고 전하네

초록빛 윤택한 잎 부풀은 꽃봉오리
눈부신 고운 속살 살며시 암술 나와
달콤한 고혹蠱惑적 향기 가득하게 넘치네

청순한 앳된 매력魅力 달빛에 황홀한데
애꿎은 하늬바람 일렁이는 비단치마
풀벌레 부끄러운 듯 응달 숨어 엿본다

동트는 아쉬움에 옷맵시 매만지며
어여쁜 맑은 얼굴 흰 이슬 맺히는데
옥잠화 알고자 하면 이른 새벽 보소서

옥잠화 : 옥비녀 꽃, 백학석이라고도 한다. 잎은
자루가 길고 달걀 모양의 원형이며, 꽃은
8~9월에 피고 흰색이며 향기가 있고 총상으로
달린다. 6개의 꽃잎 밑 부분은 서로 붙어 통
모양으로 꽃말은 추억이다.

[믿음(信)]

삶의 짐이 무겁고도
버거워서 부담될 때
지혜가 당신안에 무궁함을 기억하라
더 이상 외부 간섭干涉의 희생물이 되지 마라

인간의 무의식이
죄의식 가득하면
고통에서 벗어날 수 없게 되어 고민苦悶하니
가득한 미움과 자학 독毒주머니 버려라

인생의 거센 도전
극복하는 문제들은
외부의 환경이나 충고로 할 수 없고
신뢰信賴가 내안에 있어 모든 것을 해결하니

어제나 오늘이나
내일도 영원하게
믿음은 살아있는 법칙내 존재하며
보이지 않는 능력能力을 깨닫는 것이라네

어느 사회나 발전하는 힘은 중산층에 있다. 그들은 밑의 빈곤층 같은 지나친 고역에 힘이 빠진 것도 아니고, 위의 특권층같이 자신만의 이익을 추구하는 것도 아니요, 생활의 여유를 가져 사상할 자유가 있고, 일할 경제력을 가지고 있다.

그러므로 서민들을 끌어올리는 작용을 하고, 상류층에 대하여는 억제하고 대항하는 중재자 역활을 하여 사회를 움직여 나간다.

정치가 올바른 사회이면 중산층이 발달하고, 경제가 어렵고 정치가 혼란하면 중산층이 점차 없어지고, 서민들의 삶도 극도로 지치고 쇠약해진다.

오늘날 젊은이들이 중산층의 꿈을 갖고 스스로 앞길을 개척하며 경제적인 여유를 가져 사람답게 살 수 있어야 한다.

그저 젊은이들이 기운을 펴지 못하고 움츠리게 된 것은 불가항력적 지배를 받는 데서 늘 있는, 날 때부터 타고난 운명이라는 생각이 만연하기 때문이다.

그것으로 스스로 위로하고 단념하려 한다. 운명의 종이 된 것은, 삶의 일선에서 거듭되는 취업 실패로 인한 좌절감과 가난한 구차한 생활 등, 괴로움과 어려움의 얽매임에 못 견디어 물러나기 시작한 때라, 물러나기 시작하면서 믿음을 잃었기 때문이다.

나의 정신精神 즉 마음의 상태나 태도가 스스로 어떠한 곤란을 당해도 기력을 잃거나 낙담하지 않는 불사신不死身인 것을 깨달아야 한다. 싸움은 이겨서 이기는 게 아니라, 져도 졌다 하지 않기에 이긴다. 정신은 끊임없는 도전과 발전하는 것으로, 믿음이 곧 정신이요, 믿음이 불사신이다.

"

[기도祈禱]

타향 땅 외로운 몸
힘겨운 세상살이
한 고개 지나가면 또 한 고개 다가오니
인생사 많은 갈림길 너도나도 한가지라

험산 준령 넘다 보면
힘에 부친 무거운 짐
지친 당신 볼 때마다 억장億丈이 무너지네
힘들 땐 마음 터놓고 기도祈禱하게 하소서

시련을 통해서는
인내를 배워가고
인내를 통해서는 성숙하게 익어가니
좋은 일 잘 어울리게 다듬질해 주시고

작은 것 볼 때마다
큰 것을 생각하고
위태한 일 겪으면서 편안한 것 그려보며
언제나 자족自足하면서 감사하게 하소서

고난苦難은 하나님의 섭리攝理다. 따뜻한
마음과 참된 의사도 표현 못하는 자연현상이
아니고, 모든 것을 지배하는 초인간적인 힘에
지배되는 잔혹한 운명의 장난도 아니다.

"고난은 생명의 한 원리元理"라고 간디가 말한
것처럼, 우리는 고난 없는 삶을 상상할 수도
없다. 고난은 삶의 한끝이요, 병든 몸의 한
부분이며, 십자가의 길만이 생명의 길인 것이다.

불의不義로 인하여 상하고 더러워진 우리들의
혼과 육신은 고난의 고즙苦汁으로 씻어서만이
본디 상태로 돌아갈 수 있다.

나이가 들어 이마에 깊은 주름살이 생길 때
마음속에 깊은 지혜가 생기고, 세상 풍파 속에
살을 뚫는 상처가 깊을수록 혼魂에서
솟아오르는 향기가 높다. 살아가는 우리네
인생의 깊은 뜻은 피로 쓰는 글자로만, 눈물로
그리는 그림으로만, 한숨으로 부르는 노래로만이
나타낼 수 있다.

고난을 견디고 이김으로 우리네 인생은 한껏 진화進化해 간다. 정도가 지나치게 억압하는 괴로움을 참고 견디므로, 상대를 포용해 가는 너그러움이 생기고, 지독한 가난의 얽매임을 겪고 이겨냄으로 자유와 물질의 귀중함을 느낀다.

고난은 육체에 고통을 주지만, 영혼은 점점 더 깨끗해지고 맑아진다.

고난이 주는 손해나 아픔은 한때지만, 고난이 주는 보람과 뜻은 영원한 것이다.

세상의 쓴맛과 지독한 궁핍에 주려야 아버지를 찾는 탕자蕩子처럼, 고난을 통해서만 생명의 근원인 하나님을 찾는다.

[문제問題]

사는 게 문제인데
문제가 문제라면
문제를 문제 삼는 그것이 문제로다
이 세상 해답解答이 없는 문제들이 있던가

지난날 살아온 길
지금에 현실이라
훗날의 자화상自畵像을 오늘에 가져오면
힘들고 어려운 문제 손쉽게 풀리는데

지혜가 부족하면
하나님께 구해야지
풍족히 주시면서 꾸짖지 않는다네
그대는 구求하지 않고 문제 탓만 하느냐

어느 때인가 탈무드를 오랫동안 공부한 젊고 우수한 학생이 랍비를 방문했다.

그는 랍비에게 자신을 실험해 보라고 말했다. 랍비는 탈무드를 펼치고 물었다.

그 부분에 에서는 대단히 어려운 논쟁이 벌어지고 있다.

그러자 학생은 그 논쟁의 부분에 대해서 정확하게 설명했다. 랍비는 "자네는 아직 안돼"라고 말했다.

그리고 다시 다른 권을 펴들고 문제를 내놓았다. 학생은 주저하지 않고 그 페이지에 무엇이 쓰여 있으며, 무엇이 문제점으로 되고, 어떤 의문이 있으며, 어떻게 답하고 있는가를 말했다.

그런데 그 고명한 랍비는 "자네 아직도 안돼, 안되지" 하고 말했다.

그리고 다시 말을 이어 갔다. "책을 많이 읽어도, 다만 읽는 것만으로 서는 당나귀가 많은 책을 등에 지고 있는 것과 다름이 없네, 당나귀는 아무리 많은 책을 등에 지고 있다 할지라도 당나귀 스스로 역할에 소용될 뿐이야, 인간은 책에서 배우는 것이 아니고 책에서 질문을 받는 거라네."

 항시 문제의식問題意識을 갖고 질문한다는 것은 배움의 제일보로써, 학문은 배우는 것만이 아니다. 배운다는 것을 받아들인다는 것이며, 질문한다는 것은 적극적으로 스스로가 배우려고 하는 것이다.

[봄 편지]

따스한 맑은 햇살 온 세상 생기가득
여린 싹 돋아나고 가지 끝은 몽글몽글
갯버들 기지개 펴니 은빛송이 곱구나

봄소식 먼저알고 기러기 떠나는데
날개 위 실어보는 보고파 그리운 정
연분홍 설레는 마음 우리임은 아실까

속내를 아는 듯이 얄미운 새침 떼기
홍매화 속살 곱게 꽃망울 피어나니
묵은 뜰 상큼한 향기 웃음꽃이 번진다

배움은
남에게 보여주기 위한 것이 아니라,
바로 자신의
인격도야人格陶冶와
자아실현自我實現을 위한 것이다.

[낙천지명]

늦가을 숲 아래
높은 누각 오르니
꽃보다 고운 단풍
바람에 흔들리고

적막한 개울가에
낙엽 쌓여 가득하니
흐르다 말고
소용돌이쳐 울부짖네.

돌고 도는 계절은
하늘이 정한 바
막히면 터지고 차면 비우는
밝은 이치라

시 읊조리는 촌부
스스로 분수 알아
근심 잊고 편히 사니
무엇을 구하랴

樂天知命　　　낙천지명

九秋林下上高樓　구추임하상고루
楓美勝花愛點頭　풍미승화애점두
寂寞谿川堆落葉　적막계천퇴낙엽
渦旋嗚咽不能流　와선오열불능류
循環節序于天定　순환절서우천정
否泰盈虛哲理由　비태영허철리유
吟詠野夫知足分　음영야부지족분
忘憂安土有何求　망우안토유하구

　주역 계사전繫辭傳에서는 하늘의 이치를
즐겁게 받아드리고 명을 알기 때문에 근심하지
않으며 자신이 자리하고 있는 곳에서 편안히
있으면서 돈독하게 어진 삶을 실천하기 때문에
사랑할 수 있다는 것이다.(樂天知命 故不懮
安土敦乎仁 故能愛)

낙천지명(樂天知命) : 천명을 깨달아 즐기며
順應(순응)하는 일.

공자는 명을 알지 못하면 군자라 할 수
없다(不知命, 無以爲君子也)고 하면서 나이 50에
천명을 알았다고 술회하였다(五十而知天命).
명(命)의 본래 글자는 명령 령(令)자이며, 모을
집(亼)아래에 병부 절(卩)이 들어있다.

사람이 공손하게 명령을 내리는 것인데 입
구(口)자가 첨가되어 명(命)이 되었다.

한평생 해야 할 일은 소명(召命)이고 길흉의
차원에서 보면 운명(運命)이고 시한으로
인식되면 수명(壽命)이고 살아있는 존재가 품고
있다고 보면 생명(生命)이고 심성적인 측면에서
성명(性命)이라 이 모든 것을 부여한 장본(張本)을
통칭한 것이 천명(天命)이라면 그 천명을 알았을
때(知命) 즐겁게 받아들일 수 있지 않을까(樂天)

[어버이효도]

어르신 공경이
쇠퇴하는 이때라
그 누가 넘치는
못된 풍조 아는가?

우리 문화
예절과 의리를 잇는 것은
항상 어버이 안부 묻고
섬김이 근본이라

까마귀도 어미봉양
온통 생각하는데
무슨 까닭에 사람들은
은혜를 갚음이 더디나

집안 도덕 밑바탕은
삼효를 따름이라
아이들 어른행실
본받으니 어찌 잊으리.

事親以孝　　　사친이효

老人恭敬漸衰時	노인공경점쇠시
氾濫蠻風孰不知	범람만풍숙부지
文化吾邦禮義繼	문화오방예의계
恒常事親問安基	항상사친문안기
烏猶反哺思全部	오유반포사전부
何故黎民報答遲	하고여민보답지
家道之源從三孝	가도지원종삼효
丈行子效敢忘期	장행자효감망기

삼효(三孝) : 어버이를 우러러보고, 욕보이지
아니하며, 잘 받들어 모시는 일

반포지효(烏猶反哺之孝) : 이밀(李密:224-287)의
《진정표(陳情表)》에 나오는 말로 진(晉)
무제(武帝)가 자신에게 높은 관직을 내리지만
늙으신 할머니를 봉양하기 위해 관직을
사양한다.

무제는 이밀의 관직 사양을
불사이군(不事二君)의 심정이라고 크게 화내면서
서릿발 같은 명령을 내린다.

그러자 이밀은 자신을 까마귀에 비유하면서
"까마귀가 어미 새의 은혜에 보답하려는
마음으로 조모가 돌아가시는 날까지만 봉양하게
해 주십시오(烏鳥私情, 願乞終養)"라고 하였다.

명(明)나라 말기의 박물학자 이시진
(李時珍:1518~1593)의 본초강목(本草綱目)에
까마귀 습성에 대한 다음과 같은 내용이 실려
있다.

까마귀는 부화한 지 60일 동안은 어미가
새끼에게 먹이를 물어다 주지만 이후 새끼가 다
자라면 먹이 사냥에 힘이 부친 어미를 먹여
살린다고 한다.

그리하여 이 까마귀를 자오(慈烏:인자한 까마귀)
또는 반포조(反哺鳥)라 한다.

[훈계]

험한 세상에
깨끗하게 욕심 없으면
거친 음식 나물국도
만족하여 편하니

가난해도 여유 있는 것
그대는 비웃지 마라
모름지기 교만하면
세상 위험에 잠긴다네

서로 도와 덕을 닦으니
무궁한 기쁨이라
모인 벗들 글로서
베풀기도 더하니

늦은 공부는 힘쓰고
노력해야 얻는 것
조용히 생각하고 홀로 삼가며
간절히 겸손을 구한다네

訓戒　　　　훈계

險難世上率淸廉	험난세상솔청렴
疏食菜羹滿足恬	소사채갱만족념
貧以有餘君莫笑	빈이유여군막소
何須驕慢急流潛	하수교만급류잠
輔仁修德無窮喜	보인수덕무궁희
會友由文積善添	회우유문적선첨
晩學勉之勤苦得	만학면지근고득
默思愼獨渴求謙	묵사신독갈구겸

남사고(南師古)의 본관은 영양(英陽)이고 호는 격암(格庵)이다.

평생토록 소학小學을 즐겨 읽었다고 하는데, 역학易學과 천문天文과 복서卜筮와 관상觀相의 비결에 도통하고 풍수학風水學에 조예造詣가 깊어 전국 명산을 찾아다니면서 많은 일화를 남겼다.

그는 열 한번 과거에 떨어졌다. 그가 59세 되던 해 열 한 번째 과거를 준비 중일 때, 그의 절친한 친구가 찾아와 낙방할 것은 뻔히 아는 일에 왜 고생을 하느냐고 물었을 때 쓸쓸히 미소를 지으면서 말했다.

"내가 운명을 거스르면서 과거를 보는 데는 그만한 이유가 있다네. 그것을 잘 모르는 자기의 운명을 핑계 삼아 스스로 인생을 포기하는 게으른 자에게 경종을 울려주고자 함이네.

운명이 어떻게 결정되었든지 그것은 운명 자체의 문제이고 인간은 최선을 다해서 주어진 운명을 맞아들이는 거라네."

[가을밤 독서]

밤은 깊어 그윽한데
북두성 선명하니
기러기는 울며 날고
조각달은 밝은데

국화는 곱게 피어
저절로 향기롭고
갈바람에 나뭇잎
뜰에 소복 하구나

더없이 알맞은 기후
좋은 계절 임하여
등불 아래 책보며
좋은 시구 찾는 정성

글귀속 즐거운 일들
어진 마음 일으켜
큰선비 훌륭한 교훈
마음으로 깨닫는다.

秋夜讀書　　　　추야독서

夜深幽勝斗星淸　야심유승두성청
征雁數聲片月瑩　정안수성편월형
艶發菊花香必自　염발국화향필자
西風霜葉戶庭盈　서풍상엽호정영
好天氣候臨時節　호천기후임시절
簡冊親燈覓句誠　간책친등멱구성
樂事書中仁振起　낙사서중인진기
鴻儒高訓覺心情　홍유고훈각심정

독서광으로 유명한 백곡 김득신(金得臣, 1604~1684)의 서재인 '억만재(億萬齋)'는 글을 읽을 때 1만 번이 넘지 않으면 멈추지 않았다고 해서 붙여진 이름이다.

김득신의 옛집, 취묵당(醉墨堂)에 있는 걸려 있는 '독수기(讀數記)'에 보면,

"내 자손들이 독수기를 읽으면, 내가 책을 읽는데 게으르지 않았다는 사실을 알 것이다."라고 밝혔다. 그가 평생 1만 번 이상 읽은 글 36편의 목록이 가득 적혀 있다.

여기에는 김득신이 사기(史記) '백이전(伯夷傳)'을 무려 1억1만3천 번이나 읽었다고 기록되어 있기도 하다.

조선의 선비들은 대나무 가지에 횟수를 표시해 가면서 독서 할 정도로 글을 반복해서 읽고 외워 자신의 것으로 만들었다.

그러나 김득신처럼 1만 번 넘을 정도로 글을 반복하고 또 반복해서 읽은 사람은 거의 없다.

독서한 글과 횟수로 따지자면, 누구한테도 뒤지지 않을 다산 정약용조차 "문자와 책이 존재한 이후 종횡으로 수천 년과 3만 리를 뒤져 보아도 부지런히 독서한 사람으로 김득신을 으뜸으로 삼을 만하다."고 말했다.

[무제]

밤 깊어 하얀 달
나그네 방 밝으니
먼 곳에 선시
읊는 소리 들리는데

아까운 청춘
무엇 좇아 살았는가?
하찮은 말과 행실
게을러 부끄럽구나

가난해도 즐거움
시서에 뜻을 찾고
덕 쌓아 수양하여
올바른 길 이루어

배움 위한 참된 마음
후회가 없도록
이웃 돕고 화목하게
향리에 살자구나

無題　　　　　무제

夜深素月客窓明　　야심소월객창명
遠處禪詩誦讀聲　　원처선시송독성
可惜靑春何所就　　가석청춘하소취
愧吾謾作微言行　　괴오만작미언행
貧而樂道書求志　　빈이낙도서구지
積德修身正道成　　적덕수신정도성
爲學眞心無後悔　　위학진심무후회
保隣和睦故園生　　보린화목고원생

　정조 때 정승을 지낸 이서구李書九가 은퇴하여
허름한 베잠방이 차림으로 냇가에서 낚시하고
있는데, 경망한 선비가 시내를 건너려다, "여보
늙은이! 나를 좀 업고 건너게" 하였다.

　"그러시지요" 하고는 젊은것을 업고 시내를
건너는데, 이 친구 늙은이 등에 업혀 까닥거리며
냇물을 건너다보니, 늙은이가 당상관이나 할 수
있는 옥관자를 하고 있지 않은가.

아뿔싸! 무식한 시골 촌 늙은 인 줄 알았다가
큰 경을 치르게 생겼다.

 어쩔 줄 몰라 부들부들 떨다가 시내를
건넜는데, 경망한 선비는 좀 전의 서슬은
간데없이 납작 꿇어앉아 이마를 땅에 짓찧으며
죽을죄를 빌었다.

그러자 늙은이는 시를 한 수 읊어주고는 다시
건너가 모른 척 낚시질을 하였다.

吾看世시옷   내가 세상의 시옷을 보니
是不在미음   시비가 미음에 있드라
歸家修리을   집에 돌아가 리을을 닦아라
不然点디귿   그렇지 않으면 디귿에 점을
찍으리라.

해석해보면 시옷은 人이고, 미음은 口, 리을은 己, 디귿에 점을 찍으면 亡이다.

吾看世人 (오간세인)　　내가 세상 사람을 보니
是不在口 (시부재구)　　시비가 입에 있더라
歸家修己 (귀가수기)　　집에 돌아가 몸을 닦아라
不然点亡 (불연점망)　　그렇지 않으면 망하리라.
경망한 선비에게 살아있는 교훈이 된다.

[설야]

서리꽃에 풀 마른
초겨울인데
산천은 돌변하여
동네 어귀도 알지 못하게

적막한 잎 진 숲에
눈 가득 쌓이니
부엉이 우는 밤은
차갑고 서럽구나

숨긴 정 간절한 소회
찻잔에 흩어지니
은근한 굴레
가라앉히기 어려운데

뒤척이며 잠 못 드는 것
심려하지 마라
남몰래 쏠리는 흥취
시만 한 것 없도다

雪夜　　　　　설야

霜花藁草上冬時	상화고초상동시
忽變山河處不知	홀변산하처부지
寂寞瘦林銀滿裏	적막수림은만리
鵂鳴夜半有寒悲	휴명야반유한비
遁情懷切茶巵落	둔정회절다치락
束縛慇懃鎭靜難	속박은근진정난
輾轉失眠因勿慮	전전실면인물려
隱然趣味莫如詩	은연취미막여시

경주 최부자 집 사랑채현판 중에 둔차鈍次의
둔은 둔하다, 대우헌大愚軒의 대우는 크게
어리석다는 뜻인데, 스스로 낮추는 겸양의 도,
처세의 지혜가 보인다.

최세린의 아호가 대우大愚이다, 그는 26살이
되던 1816(순조 16)년에 생원시에 합격하여
성균관에서 공부했다.

그러나 전시에 세 번 실패한 뒤 고향 경주에
돌아온 후 "선비가 뜻을 숭상함은 쌓은바
경륜과 포부를 펴서 백성을 잘 다스리고 그
혜택을 입도록 함에 있으나, 그렇지 못할 바에는
학문에 정진하고 이름과 행실을 가다듬어 우뚝
세우는 것이 바람직하다."며 벼슬길을 포기했다.

아들 만희는 둔한 사람이라는 뜻으로 둔와鈍窩
이고, 손자 현식은 고종 때 진사시에 합격하여
경능 참봉을 지내다 고향으로 돌아왔는데
둔해서 버금간다는 뜻으로 둔차鈍次이다.

어리석음과 둔함은 잇속을 챙기는데 둔하며
자신을 낮추며 잘난 체 않고 나서지 않고 조금
물러서 있겠다는 뜻이다.

[동백]

바람 안고 눈과 다툰
바닷가 정수리
차나무 밀집하여
초록빛 무성한데

봉오리 터진 붉은 꽃
덤불속 비추니
수줍은 새색시 같은
본디의 모습이라

그리워 이끌린 정
거짓 없이 호소하며
스스로 피고 지며
겨우내 쉬지 않으니

임 따라 가지 못해
눈물져 우는 아가씨
곱게 물든 품은 회포
홀로 가슴치구나

冬柏　　　　　동백

含風鬪雪海邊峯　　함풍투설해변봉
翠接油茶草綠濃　　취접유다초록농
綻蕾紅花叢樹映　　탄뢰홍화총수영
妖嬰羞氣素形容　　요앵수기소형용
牽情相戀丹衷訴　　견정상연단충소
自落自開不息冬　　자락자개불식동
欲往不從娘涕泣　　욕왕부종낭체읍
所懷艶染獨撞胸　　소회염염독당흉

[홍매]

남은 추위 시샘하니
눈바람 차가운데
참고 견디는 남쪽 가지
오직 겸손한데

봉오리 터진 어여쁜 꽃
싱싱한 기운 젖어
송이송이 여린 꽃술
예스럽게 우아하네

붉은 입술 살며시
해맑은 향기 넘치고
고운 뺨 수줍은 듯
환하게 빛나 더하니

코로나19 감염병 재난에
살림살이 힘들어도
매화가 한번 웃으니
모두가 즐거워 하구나

紅梅　　　　　홍매

餘寒猜忌雪風嚴　　여한시기설풍엄
堪耐南枝意尙謙　　감내남지의상겸
綻蕾姸芳生氣潤　　탄뢰연방생기윤
千葩嫩蘂古雅恬　　천파눈예고아념
紅脣微動淸香滿　　홍순미동청향만
艶臉含羞映彩沾　　염검함수영채첨
疾疫災難家計苦　　질역재난가계고
梅花一笑興尤憸　　매화일소흥우첨

[입춘(신축년)]

계절은 돌고 돌아
해마다 보내고 맞는데
만물이 소생하는
푸른 시냇가에는

솜털 부푼 갯버들
점차 살쪄 변하고
여린 주둥이 새싹은
연두색으로 달라지는데

하늘가 기러기 줄지어
어느 곳에 가는가
타향살이 외로운 나그네
내살던 곳 그립구나

뜻하지 않은 변고의 코로나19
서민들 살기 힘들지만
북두성 돌아 해 바뀌니
새 희망을 가진다네

立春(辛丑年)　　입춘(신축년)

季節循環餞迓年　　계절순환전아년
蘇生萬物碧溪邊　　소생만물벽계변
膨綿蒲柳漸肥變　　팽면포류점비변
嫩嘴新芽軟豆遷　　눈취신아연두천
天涯雁行何處去　　천애안행하처거
他官孤客故鄕緣　　타관고객고향연
災殃疫疾民生苦　　재앙역질민생고
北斗寅回冀願然　　북두인회기원연

[우수절]

얼음 녹인 가랑비
들판에 내리는 때
초목이 싹이 트는
가장 알맞은 시기라

냇가에 버들눈
드리운 싹줄 춤추고
묵은 뜰 매향 짙어
손님 찾아와 시를 쓰네

목련의 작은 부리
솜털 부풀은 붓이고
동백의 고운 자태
꽃봉오리 살찌구나

가정경제 회복하는
넉넉함을 바라는데
봄의 신이 덕을 펴니
큰 경사 마땅하리라

雨水節(辛丑年)　　우수절(신축년)

解氷細雨降原時　　해빙세우강원시
草木萌芽最適期　　초목맹아최적기
柳眼川邊垂茁舞　　유안천변수줄무
梅香古苑客尋詩　　매향고원객심시
木蓮小嘴膨綿筆　　목련소취팽면필
冬柏丹粧綻蕾肥　　동백단장탄뢰비
家計挽回豊一願　　가계만회풍일원
東君布德大昌宜　　동군포덕대창의

[춘심]

까치 우는 느티나무
아지랑이 피고
하늘 나는 기러기
북쪽으로 가는데

얼음 녹은 개천은
들판을 휘감아
버들개지 솜털 부풀어
은구슬 꿰었구나

오리 떼 먹이 찾아
물결을 가르는데
백로는 먼 곳 보며
누구를 생각하나

부질없이 가슴 뛰는
불타는 마음
속으로 사랑하며
홀로 애만 태우네

春心　　　춘심

鵲嘲槻木起晴嵐	작조규목기청람
蒼晧鴻飛向北鄕	창호홍비향북향
曲水解氷回荒野	곡수해빙회황야
膨綿柳茁貫銀珠	팽면유줄관은주
餌求群鴨興波走	이구군압흥파주
白鷺遠望有默思	백로원망유묵사
胸悸空然焱橐慾	흉계공연염탁욕
心乎愛矣獨傷神	심호애의독상신

[목련화]

강촌에 비 그쳐
맑은 하늘 상쾌하니
온기 느낀 봉오리
물기 젖어 선명한데

산뜻이 꾸밈없어
소담하게 웃으니
탐스러운 하얀꽃
참으로 볼 만하구나

봄기운 어린 풍경
고운 맵시 펼치는데
그리워 사귀어 든 정
아직 못다 한 연분

늦바람 시샘하니
흩날리는 나비라
떨어진 꽃잎 어지러워
더 아파 애틋한 마음

木蓮花　　　　목련화

江村雨歇快晴天　강촌우헐쾌청천
動蕾如溫滴潤鮮　동뢰여온적윤선
淳朴淸新端雅笑　순박청신단아소
玉脣爛漫壯觀然　옥순란만장관연
生春景入姸姿展　생춘경입연자전
顧戀交分未了緣　고련교분미료연
嫉妒晚風紛亂蝶　질투만풍분란접
洛花狼藉苦心憐　낙화낭자고심련

[꽃비]

강촌에 비 온 뒤
풍광은 더욱 새로워
온갖 풀 때 만난 듯
연초록 계절이라

벚꽃은 활짝 피어
곱게도 빼어난데
꽃부리 물기 젖어
봄기운 어려 곱구나

화사한 고운 웃음
산들바람 흔들리니
묵은 뜰 그윽한 향기
그리움에 빠지는데

어지럽게 꽃잎 떨어져
물에 떠서 가득하니
다정하고 한 많은
여인 보내는 심정이구나.

花雨　　　화우

江村雨後景尤新	강촌우후경우신
白草得時軟綠辰	백초득시연록신
滿發櫻花娟秀麗	만발앵화연수려
玉脣滴潤艶生春	옥순적윤염생춘
華奢媚笑和風動	화사미소화풍동
故苑幽香戀慕淪	고원유향연모륜
繽粉落英漂水溢	빈분낙영표수일
多情多恨送佳人	다정다한송가인

[살구꽃]

어젯밤 반가운 비
세상 티끌 씻으니
묵은 뜰 울타리
향기로운 맑은 기운

꽃피면 만나자고
약속한 그 사람
꽃가지 꽃술에
사귄 정 생생하니

그대는 이런 상사병
아시는지요
부질없이 가슴 뛰며
마음만 타고 타는데

저무는 봄볕에
꽃은 사들사들
좋아서 보내기 싫어도
어지럽게 흩어지네

杏花　　　　　행화

昨宵甘雨洗塵氛　작소감우세진분
古苑牆籬淑氣芬　고원장리숙기분
含笑逢迎期約客　함소봉영기약객
繞枝攀蕊活情分　요지반예활정분
這般戀病須知道　저반련병수지도
胸悸空然意慾焚　흉계공연의욕분
欲暮韶光英老瘦　욕모소광영노수
送親不願落繽紛　송친불원락빈분

[연심]

한겨울 참고 견딘
사모 친 바램이
훈풍에 가랑비
여린 싹 터 자라고

봄 햇살 잠시간에
꽃망울 터져
동네 어귀 배 밭에
은은한 향기나네

바람결에 꿩 울음
애처롭게 호소하니
수없이 핀 꽃은
눈송이처럼 휘날리는데

고향 떠난 그 사람
소식이 없으니
애태우는 짝사랑은
어찌하리까

戀心　　　　　연심

三多耐久慕期望	삼동내구모기망
細雨薰風嫩茁長	세우훈풍눈줄장
乍泄陽光肥蕾破	사설양광비뢰파
梨園洞口臭餘香	이원동구취여향
雉鳴吹放哀憐訴	치명취방애련소
數萬花開雪片揚	수만화개설편양
艾婦離鄕無信息	애부이향무신식
如何隻愛此焦傷	여하척애차초상

[늦봄]

좋은 때 고운경치
하늘엔 흰 구름
굽이굽이 물가에
실버들도 고와라

능선에 꽃이 지니
청보리 여물고
푸른빛 매실은
점차 굵어 둥글구나

덧없는 세월
이 봄도 지나가니
뻐꾹 소리 메아리
귀에 크게 들리는데

적막한 선산에
신록은 짙어가고
홀로 핀 할미꽃만
구슬픈 얼굴이네

暮春　　　　　모춘

良辰美景白雲天	양신미경백운천
九曲水邊細柳鮮	구곡수변세류선
稜線紅殘靑麥熟	능선홍잔청맥숙
軟蒼梅實漸肥圓	연창매실점비원
無情歲月三春過	무정세월삼춘과
布穀回聲聒耳連	포곡회성괄이연
寂寞先山濃嫩綠	적막선산농눈록
老姑草獨貌悽然	노고초독모처연

[두견새 우는소리]

강산이 흥을 돋는
늦봄 깊은 밤이라
애타게 부르짖는
두견새야 우지마라

여린 초록 가지 끝에
꽃잎이 떨어지니
빈 뜰에 가득하여
달빛은 안개 같구나

마음속 그리움은
애가 녹는 아픔이라
지나간 남은 정에
잠 못 드는데

먼 나그네 고향생각
후회하면 무엇 하리
임 생각은 꿈속같이
구슬프구나

子規聲　　　자규성

江山挑興晚春宵	강산도흥만춘소
愛戀千呼不泣鵑	애련천호불읍견
嫩綠枝頭花片下	눈록지두화편하
空庭滿地月如烟	사창만지월여연
心乎戀慕消魂苦	심호련모소혼고
往事餘情似未眠	왕사여정사미면
遠客鄉愁何悔及	원객향수하회급
懷人欲夢以悽然	회인욕몽이처연

[청명한식]

청명절기 들 밖에
논밭 갈아 농사짓고
한식날 무르익은 봄
마음 가득 흥취 일어

수도 없이 벚꽃은
활짝 피어 화려하고
연초록 수양버들에
꾀꼬리 노래하구나

너그러운 조상님 덕
가슴 깊이 새기어
성실하게 산소 보살펴
옛 풍속 실행하며

개자추의 충혼 기려
불 때기를 금지하니
선대 가르침 실천하며
참된 정 본받는다.

清明寒食　　청명한식

清明郊外作農耕　청명교외작농경
寒食芳春感興生　한식방춘감흥생
無數櫻花華麗苑　무수앵화화려원
垂楊軟綠唱黃鶯　수양연록창황앵
雅量蔭德銘心服　아량음덕명심복
省墓精誠古俗行　성묘정성고속행
介子忠魂煙火禁　개자충혼연화금
先謀實踐傚眞情　선모실천효진정

[초롱꽃]

흥겨우면 꽃을 찾던
고향 언덕에
늘어진 치마 소박하게
미소 짓던 미인

물기 어려 해맑은
고운 모습 숙이며
청사 초롱에
불 켜니 아름다웠지

가고 가도 끝도 없이
아득한 세상살이
가고 가도 정은 남아
기다림은 함께하니

비 그친 맑은 하늘
무지개 고운 빛 같은
가슴속 아득한 기억
사연 하나 안고 산다네

風鈴草　　　풍령초

尋花興或故園涯	심화흥혹고원애
素朴甲裳微笑娃	소박갑상미소왜
欲滴淸光娟首下	욕적청광연수하
靑紗籠草點燈佳	청사롱초점등가
行行不盡人生路	행행부진인생로
去去留情苦待偕	거거유정고대해
雨歇晴天虹彩色	우헐청천홍채색
胸中緬憶事緣懷	흉중면억사연회

[초여름]

남산에 비 그쳐
맑은 햇살 비추니
뻐꾹 소리 메아리
귀에 크게 들리는데

곳곳마다 산딸기
짙게 무르익어
단내가 코를 찌르니
꿀벌은 빙빙 돌며 날고

석류꽃 터질 듯 붉어
정취도 고운데
장미꽃 무성한 줄기는
담을 넘으려 하니

등라 그늘 좋아서
더위 피하며
구슬발 걸어서
맑은 바람 들인다

初夏　　　　初하

南山止雨曤晴陽　　남산지우엽청양
布穀回聲聒耳來　　포곡회성괄이래
到處山莓濃爛熟　　도처산매농난숙
甘香撲鼻蜜蜂翔　　감향박비밀봉상
榴花綻絳風情艶　　류화탄강풍정염
薔薇多莖欲越牆　　장미다경욕월장
愛好藤陰避早暑　　애호등음피조서
珠簾旣掛納淸涼　　주렴기괘납청량

[청계송도유]

범이 엎드린 짙은 그늘
신의 솜씨 더 높은데
온 땅을 억눌러
하늘에 솟구치니

안개 그친 골마다
꽃은 반이나 지고
개울물 돌에 부딪혀
무지개 뻗치는데

벗들과 쌓인 회포 푸니
다할 수 없는 정이라
깊고 참된 우의는
덕을 이끌어 함께하니

시원한 솔바람에 더위 피해
휴식하는 즐거움
발 씻고 책보니
편안하고 넉넉하네

淸溪松濤遊　　　청계송도유

濃陰虎伏作神崇　　농음호복작신숭
下壓坤維上揷空　　하압곤유상삽공
峽裏雲收花半落　　협리운수화반락
溪流激石氣干虹　　계류격석기간홍
騷朋舒嘯情無盡　　소붕서소정무진
友誼深衷德引同　　우의심충덕인동
避暑松濤休息樂　　피서송도휴식락
讀書濯足便安豊　　독서탁족편안풍

[수련]

삼복더위 볕은
화로같이 더디지만
더위 피해 찾은 경치
초록빛 더하니

곳곳마다 못과 늪
풍성한 고운빛깔
무수한 하얀 꽃
고운맵시 두드러지고

다옥한 싱그러움
탐스러운 연꽃은
훈풍에 그윽한 향
어루만지듯 부추기니

흥에 겨운 시인은
필첩 꺼내어
정취에 넋 잃고
그림 속에 시를 짓는다

睡蓮　　　　수련

暴炎三伏日烘遲	폭염삼복일홍지
避暑探光草綠滋	피서탐광초록자
到處沼池豊溢彩	도처소지풍일채
素花無數秀妍姿	소화무수수연자
芬芳茂盛芙蓉艶	분방무성부용염
幽馥薰風惠撫吹	유복훈풍혜무취
騷客歡怡開筆帖	소객환이개필첩
居然雅趣畫中詩	거연아취화중시

[칠석]

북두칠성 돌아서
이른 가을 알리니
귀뚜라미 애절한 소리
임 그리운 시름인데

견우와 직녀 지나친 사랑
하나님 노하시어
은하수 동과 서에
떨어져 머물라 하시며

한 해 한 번만
서로 만남 허락하시니
이루지 못해
애타는 염원은 아득한데

까막까치 다리 놓아
임 맞이한 칠석날
지극한 정 알뜰히 맺은
옛이야기 도탑다

七夕　　　　칠석

迴申北斗告開秋　　회신북두고개추
哀切蟋吟戀慕愁　　애절실음련모수
牛女熱情天帝怒　　우녀열정천제노
銀河東西別離留　　은하동서별리류
一年一見相逢許　　일년일견상봉허
愛欲不行念願悠　　애욕부행념원유
烏鵲架橋迎七夕　　오작가교영칠석
至懷契遇古談優　　지회계우고담우

[십리취황]

푸른 그늘 맑은 기운
미풍은 서늘한데
백로 떼 날아오르는
울창한 대숲은

하늘 솟은 줄기
굽어 휘어짐 없이
더위 추위 감내하니
저절로 굳세구나

뿌리는 굳게 이어져
용이 서린 듯하고
초록 잎은 흔들려
세세하게 향기 나니

세상살이 혼란하여
아침저녁 변하는데
나날이 새 덕 이뤄
사시사철 푸르구나.

十里翠篁　　　십리취황

綠陰淑氣微風凉	녹음숙기미풍량
白鷺飛翔茂盛篁	백로비상무성황
幹聳向天無枉曲	간용향천무왕곡
暑寒堪耐自然剛	서한감내자연강
笋之固絡蟠龍隱	능지고락반용은
翠葉招搖旣細香	취엽초요기세향
處世亂紛朝夕變	처세난분조석변
日新成德四時蒼	일신성덕사시창

[해금강]

하얀 안개 그윽한 정취
드러난 연꽃 섬
세찬 물결에 갈리고 깎인
갖가지 생김새들

암석 옹두라지
층층이 겹쳐 두드러지니
바위너설에 기묘하게
푸른 솔도 많구나

예전에 소문 듣고
서불(徐市)도 영약 찾아왔으니
불로초 자라나는
이곳이 귀중 하구나

저절로 이룬 수려한 풍광
눈앞에 펼쳐지니
남쪽바다 호연한 기운에
가슴 활짝 트이도다

海金剛　　　　해금강

白煙幽趣露浮蓉	백연유취로부용
研削激波萬象容	연삭격파만상용
累巨石崗層疊峻	루거석강층첩준
聳岩奇妙有靑松	용암기묘유청송
曾聞徐市尋靈藥	증문서불심영약
不老草生是上重	불로초생시상중
秀麗自然開眼底	수려자연개안저
南瀛浩氣豁中胸	남영호기활중흉

[지구 온난화]

세계기후변화는
사계절 먼저 달라지고
온 누리에 기온이
뜨겁게 오르니

지나친 자원낭비
남에게 피해 많고
공기 더럽혀 병드는
근원은 화석연료라

예상치 못한 기상이변
빈번하여 두렵고
북극 빙하 녹으니
어찌 걱정되지 않으랴

어리석은 사람들 탐욕은
파멸로 돌아오리니
환경을 보전하여
서로 돕고 아름답게 살아가세.

地球溫暖化　　　지구온난화

塵寰變化四時頭	진환변화사시두
天地昇溫暖氣流	천지승온난기류
過用資源加害滿	과용자원가해만
汚傷大氣本燃油	오상대기본연유
突然異狀頻繁懼	돌연이상빈번구
北極氷消豈不愁	북극빙소기불수
貪慾愚人招破滅	탐욕우인초파멸
保全環境共生休	보전환경공생휴

[구절초]

붉은 노을 자주 빛 산
가을볕 저무는데
산마루길 무리지어
노랗게 수놓은 듯

곧은 정취 맵시는
옥 같은 여인이라
수줍은 미소 머금고
예쁘게 단장했구나.

뻗은 줄기 아홉 마디
그리움 가슴 안고
무더위 비바람
오랜 고초 참아내니

청초한 꽃잎은
더욱 곱고 생생하여
제철 만난 들국화
그윽한 향 넘쳐나네.

九節草　　　구절초

紅霞山紫晩秋陽　　임간천석산청연
峴路芳叢作繡黃　　현로방총작수황
貞趣采姿形玉女　　정취채자형옥녀
含羞微笑彩姸粧　　함수미소채연장
上莖九節懸思慕　　상경구절현사모
炎署雨風忍苦長　　염서우풍인고장
淸楚花脣尤艷活　　청초화순우염활
時迎野菊滿幽香　　시영야국만유향

[추회]

우거진 숲 긴 골짜기
밝은 햇살이
멀고 가까운 산을 돌아
고운 빛깔 다투니

영롱하고 현란한 단풍
무르익은 아름다움
그림 같은 가을경치
자수무늬 놀랍구나

서풍에 붉은 잎새
나부끼며 떨어져
흩어지는 잎가지
순리 따라 떠나가니

예로부터 가는 세월
머물 곳 없는 나그네
알지도 못하는 생애
저절로 늙어 가는구나

秋懷　　　추회

樹林稜線日光明	수림능선일광명
遠近峴廻艷彩爭	원근현회염채쟁
燦爛丹楓完熟美	찬란단풍완숙미
秋波如畵繡紋驚	추파여화수문경
西風紫蝶翩飜下	서풍자접편번하
離散葉枝順理行	이산엽지순리행
萬古消磨浮草客	만고소마부초객
自然老在不知生	자연노재부지생

[겨울 소나무]

날 춥고 해 저문데
북새풍 몰아치니
세상에 모든 만물
쇠락하는 때인데

하늘 오르는 용트림에
도타운 생기
거친 수염과 피부도
웅장한 모습이라

얼음 얼고 눈 내려
천지에 가득한데
뿌리줄기 번창하여
기세를 알게 하니

천년만년 늘 푸른
군자의 모습이라
굳은 마음 곧은 절개
뭇사람 따른다네

冬松　　　동송

日寒歲暮北風吹	일한세모북풍취
萬象森羅沒落時	만상삼라몰락시
登上交龍優氣力	등상교룡우기력
蒼髯片甲久雄姿	창염편갑구웅자
凍氷降雪乾坤滿	동빙강설건곤만
根幹繁昌勢感知	근간번창세감지
千載常靑君子貌	천재상청군자모
堅心勁節萬民隨	견심경절만민수

[송구영신]

얼음 엉킨 잎 진 나무
부엉이 울고
낡은 집 처마에
고드름 발 엮으니

뼈속을 여미는 추위에
떠도는 나그네
고향집 애틋이 그리워
괴로운 맘인데

인생은 살기 위해
바쁘게 지나가고
세상사 하는 일마다
흡족하지 못하니

묵은 해 보내는 마음은
아쉽고 서럽지만
새해 맞는 소망이
또 한 해 밝아 오는구나

送舊迎新　　送구영신

凝氷裸木有鵂鳴	응빙나목유휴명
古屋簷簾厚玉瓊	고옥첨렴후옥경
骨裏酷寒浮草客	골리혹한부초객
故家思慕苦之情	고가사모고지정
人生爲口奔忙過	인생위구분망과
世事心榮未洽成	세사심영미흡성
送舊幽懷胸惜閔	송구유회흉석민
迎新所望又年明	영신소망우년명

[섣달 유회]

한겨울 하얀 눈은
산머리 가득한데
계절은 순환하여
잠시도 머물지 않으니

양지쪽 움트는 싹
묵은 뜰 침노하여
납매의 짙은 향기
서재에 들어오네

남가일몽 허황된 꿈
청춘에 의지는
칠십이 가까워도
미련 속에 남았는데

경자년 감염병 재난에
한도 많은 나그네
무심한 세월 속에
사랑도 미움도 흘러가네

臘月有懷　　납월유회

嚴冬白雪滿山頭	엄동백설만산두
節序循環暫不留	절서순환잠불류
陽地萌芽侵古苑	양지맹아침고원
寒梅郁馥入書樓	한매욱복입서루
南柯幻夢靑春志	남가환몽청춘지
望七當今未練修	망칠당년미련수
疫疾災難多恨客	역질재난다한객
無心歲月愛憎流	무심세월애증류

[대성전정화유감]

높이 솟은 기와집은
푸른 하늘에 와닿고
선비들은 서로 만나
후한 인정이 앞서는데

돌계단 새로 꾸미니
대성전도 엄숙하고
재와 당 정결하여
경관도 산뜻한데

향교 보전에
정성과 마음 다하며
덕을 심고 인을 베풀어
교화로 이어가니

공맹의 밝은 윤리는
우리 고장 뿌리라
유풍을 다시 일으켜
만방에 전하리라

大成殿淨化有感　대성전정화유감

巍然瓦屋貫靑天　외연와옥관청천
士友相逢篤厚先　사우상봉독후선
石階新裝成殿肅　석계신장성전숙
齋堂淨潔景觀鮮　재당정결경관선
芹宮善保誠心盡　비궁선보성심진
種德施仁敎化連　종덕시인교화련
孔孟明倫鄕里本　공맹명륜향리본
儒風更起萬方傳　유풍갱기만방전

[탕지반명]

반명의 성찰은
해가 뜨는 밝음이라
폭정을 대신하여 너그러움 베풀며
사랑을 세워 이루니

백성들은 나라 위해
가르침 받들어 이어가고
서로 돕는 익숙한 풍속에
따뜻한 정이 활기차구나

미친 파도 같은 코로나19 재앙을
능히 감당해 이겨냄은
진실로 하루를 새롭게 거듭나는
깨닫는 글귀의 아름다움이라

어지러운 세상 어느 누가
군자의 도리를 알겠냐만
때에 따라 순리로 처신하며
바르게 사는 선비 영화롭구나

湯之盤銘　　탕지반명

盤銘省察旭昇明	반명성찰욱성명
代虐施寬立愛成	대학시관입애성
百姓爲國承訓迪	백성위국승훈적
相扶習俗活溫情	상부습속활온정
狂濤疫禍能堪勝	광도역화능감승
苟日創新警句瓊	구일창신경구경
濁世誰知君子道	탁세수지군자도
時中順處雅儒榮	시중순처아유영

[부부에게서 실마리를 이룬다]

어찌하면 인간도리
그 삶이 올바른가
성찰하는 수신제가
신뢰를 이룸이라

편하고 탈없는게
해로하는 락이니
언제나 집안일도
서로가 함께 맞춘다네

부부의 화합은
오늘에 근본이니
효제하는 가정은
옛 법도 가르침이라

배려하고 소통함은
곧고 성실함에 있으니
겸지한 이웃사랑
모든곳에 영화로다

造端乎夫婦　　　조단호부부

胡爲性理正其生　호위성리정기생
省察修齊信賴成　성찰수제신뢰성
便易安居偕老樂　편이안거해로락
恒茶飯事與相迎　항다반사여상영
夫和婦順今根本　부화부순금근본
孝悌家庭古敎程　효재가정고교정
配慮疏通貞亮裏　배려소통정량리
兼之愛德萬方榮　겸지애덕만방영

詩云 鳶飛戾天이어늘 魚躍于淵이라 하니
言其上下察也니라.

　詩經 旱麓편에 "솔개는 날아서 하늘에 이르고,
물고기는 연못에서 뛰노는구나."라고 하였는데,
이는 천지자연의 이치와 작용이 위아래에 밝게
드러남을 말한 것이다.

　君子之道는 造端乎夫婦니 及其至也하여는
察乎天地니라.

　군자의 도는 부부에게서 그 실마리가
이루어지나니, 그 지극한 경지에 이르면 천지에
밝게 드러나는 것이다.　≪中庸 12장 중에서≫

[탄식하다]

입춘 지난 남쪽 개울
반이나 얼었는데
매화는 피려고
꽃봉오리 터지더라

돌고 도는 계절을
사람들 모르지만
저절로 오고 가는
만물의 이치라네

차 마시고 발 뻗고
온돌방에 있으면서
한권의 시서도
다 읽지 못했구나

공부에 힘을 쓰되
멈춤이 없어야 하는데
부끄럽게 보낸 세월
버릇될까 걱정이구나.

有歎　　　　　유탄

立春南澗半凝氷	입춘남간반응빙
欲發寒梅綻艶英	욕발한매탄염영
節序循環人不識	절서순환인불식
自來自去物之情	자래자거물지정
喫茶篤踞溫房內	끽다독거온방내
一券詩書讀未終	일권시서독미종
學業勉之期不止	학업면지기부지
光陰虛度忸怩愁	광음허도뉴니수

[무제]

인정이 뒤집히는
어지러운 티끌세상
감염병 자가격리
탄식이 빈번하구나

홀로 밤을 지새우는
한도 많은 나그네라
애틋한 하얀달은
왜 저리 밝은고

하늘가 기러기 보며
고향생각 하는데
잎 진 나무 서리꽃에
눈물자국 쌓인다

머물 곳 없는 떠돌이
어느덧 십년이라
어느 때 옛 친구들과
이웃하며 살아볼까

無題　무제

人情翻覆似煩塵	인정번복사번진
疾疫隔離歎息頻	질역격리탄식빈
獨在達宵多恨客	독재달소다한객
可憐素月不堪論	가련소월불감론
天衢見雁思鄕信	천구견안사향신
裸木霜花積淚痕	나목상화적루흔
萍草轉蓬今十載	평초전봉금십재
何時故友墻之隣	하시고우장지린

[유도의 도가 달라지길 바라다]

온 세상 말세 풍조로
넘치는 때이니
무너진 윤리 시정은
새로운 각성이라

정성에 간략한 제사
도리에 근원하고
예시하는 상례는
골고루 좋은 일이라

열손가락 쉴틈 없어도
살림살이 힘들지만
삼 년 재난 이겨내고
솔선하며 돕는 이웃

덕을 심고 인을 베푸니
충서를 쫓음이라
가르친 실천 사정에 맞게
곳곳마다 펼치자

願儒道變革　　원유도변혁

淑世風潮氾濫辰　　숙세풍조범람신
傷倫是正覺醒新　　상륜시정각성신
衷誠禴祭元由道　　충성약제원유도
例示常禮善事均　　예시상례선사균
十指無閒家計苦　　십지무한가계고
三災克服率先隣　　삼재극복솔선린
施仁種德從忠恕　　시인종덕종충서
履敎時宜到處伸　　리교시의도처신

禴祭 : 周易의 水火旣濟의 九五는 東鄰殺牛이
不如西鄰之禴祭이 實受其福이니라.
　동쪽 이웃에서 소를 잡아 성대한 제사를
지냄이 서쪽 이웃의 간략히 제사를 지냄과 같지
못하니 정성으로 제사를 다하는 자가 그 복을
받는다.

忠恕 : 論語 里仁의 子曰 參乎아 吾道는
一以貫之니라 曾子曰 唯라 子出하시거늘 門人이
問曰 何謂也니까 曾子曰 夫子之道는
忠恕而已矣라

공자가 말씀하시기를, 삼아 나의 도는 한 가지로써 관통하였느니라. 증자가 대답하기를 의심 없이 속히 하였는지라 공자가 밖으로 나가자 문인들이 물어 말하기를 무슨 뜻입니까.

 증자가 말하기를 선생님의 도는 충과 서일 뿐입니다. 유가 사상에서 仁을 실천하기 위해 강조한 윤리 덕목으로 忠은 자기 자신의 양심에 충실한 것을 뜻하고, 恕는 자신을 헤아려 다른 사람을 대하는 것을 뜻한다.

[한매]

산기슭 양지 얼음녹아
푸른 이끼 적시니
만물이 소생하는
자연이치 겸손하네

추운겨울 이겨내고
오직 홀로 피었는데
번잡함 싫어 은거함은
안빈낙도 찾음이라

해맑은 하얀 꽃잎
고운자태 싱그러워
담백한 향 떠돌아
화창한 기운 아우르니

자고로 먼저 피는 꽃
어찌 아니 좋아하랴
섣달매화 봄소식에
시를 읊어 덧붙인다

寒梅   한매

山陽解凍碧苔霑   산양해동벽태점
萬物蘇生地道謙   만물소생지도겸
凌冒歲寒惟獨笑   능모세한유독소
幽居厭鬧守貧恬   유거염료수빈념
氷肌玉骨妍姿活   빙기옥골연자활
淡白浮香淑氣兼   담백부향숙기겸
自古花魁何不好   자고화괴하부호
臘梅春信誦詩添   랍매춘신송시첨

[축 금정구순소감운]

1. 금정 최영범 구순소감: 최영범 글

저력 한 인생 구십 살 살고 보니
애오라지 건강한 몸으로 고향에 살았도다.
젊은 시절은 가정사에 바빴고
나이 많아서 유당에서 논다.

벗을 사귀어 친하고자 하나 정성이 부족했고
아이를 기르는 데는 스스로 성장하더라.
세상에서 늙고 보니 쓸모없는 인간
다행히 한시회가 있어 방 하나를 같이한다.

錦汀崔榮範 九旬所感 (崔榮範)

樗櫟人生耄齒量	저력인생모치량
聊持康健托仁鄕	료지강건탁인향
曾年奔走家庭事	증년분주가정사
晚歲肯遊儒苑堂	만세긍유유원당
交友欲親誠不足	교우욕친성부족
育兒無拱自成長	육아무공자성장
世界老物用何所	세계노물용하소
幸有漢詩偕一房	행유한시해일방

2. 축 금정최영범 구순: 김동철 축시

구십 평생 스스로 겸손을 헤아리시며
경서를 독학하시며 고향서 농사짓고
글로서 벗 사귀어 시 짓기 좋아하시니
서로 도와 덕을 닦는 유당에 모범이시라

어진 자손 효도는 무궁한 기쁨이라
복 많은 집안 오래도록 적선도 많으시고
원근에 사림들 모두와 송축하시니
화락이 편안하게 한시해에 가득하시네요

祝錦汀崔榮範九旬　축금정최영범구순

生平九旬自謙量　　생평구순자겸량
篤學經書稼事鄉　　독학경서가사향
會友以文才藻好　　회우이문재조호
輔仁修德模儒堂　　보인수덕모유당
賢孫誠孝無窮喜　　현손성효무궁희
多福家門積善長　　다복가문적선장
遠近士林來頌祝　　원근사림래송축
安寧和樂滿詩房　　안녕화락만시방

陽韻(量　鄉　堂　長　房)
湄抒　金東哲

3. 금정 최영범 구순 소감: 최영범 글

쓸모없는 인생이 구십의 나이를 먹었소
비재하고 천학한데 어찌 경륜이 있으리오
집안의 좋은일 참여 못해 친지들에 부끄럽고
부모님 은혜도 잊었으니 양친에게 죄인이네

부귀는 서로 하려고 하니 손쓰기도 어려웠고
초가 움막집은 금함이 없으니 내가 살만하네요
시하는 어진 벗들과 함께 참여하니 참 좋은
일이라
오직 바라노니 성현의 가르침 사방의 이웃에
떨치기를

錦汀崔榮範 九旬所感 (崔榮範)

樗櫟人生髦齒春	저력인생모치춘
菲才淺學豈經綸	비재천학기경륜
雁行失序羞宗族	안행실서수종족
怙快忘恩罪兩親	호쾌망은죄양친
富貴有諍難下手	부귀유쟁난하수
草廬無禁可依身	초려무금가의신
詩朋麗澤眞良事	시붕려택진량사
聖訓惟希振四隣	성훈유희진사린

4. 금정최영범구순소감운: 三軒 文泳煥 축시

송백회원 금정어른께서 금년 구순이신데도
고운 흰머리 밝은 얼굴이 건강하십니다.
부부가 함께 계시니 항상 즐거움이 가득하시며
슬하에 아들손자들 효도하는 정성이 지극하네

소시에는 학문에 힘써서 수신함이 돈독하시고
노경에는 한시대회에 좋은 시문을 펴십니다.
오복들을 겸전하시어 천수를 누리시면서
인을 행하시고 덕을 펴시니 삼이웃이
칭송하네요.

錦汀崔榮範九旬所感韻　　금정최영범구순소감운

錦翁今迓九旬春　　　　금옹금아구순춘
鶴髮昭顔健勝綸　　　　학발소안건승륜
夫婦同床常樂滿　　　　부부동상상락만
子孫膝下孝誠親　　　　자손슬하효성친
少時勉學修身篤　　　　소시면학수신독
老境詩壇玉稿伸　　　　노경시단옥고신
五福兼全天壽裡　　　　오복겸전천수리
施仁布德頌三隣　　　　시인포덕송삼린

*眞韻(春 綸 親 伸 隣)

　단성향교(丹城鄕校) 유림친목회(儒林親睦會)인
송백회(松柏會) 원로회원 금정(錦汀)
최영범(崔榮範) 어르신은 고려말(高麗末)
문하시중 문성공(文成公) 최아(崔阿) 선생의
26세손으로 본관(本貫)은 전주(全州)이시며,
1929년 경오년(庚午年) 단성면(丹城面)
운리(雲里)에서 생장세거(生長世居) 하셨다.

젊은 시절부터 조상님들의 가업을
계승하시면서 주경야독(晝耕夜讀)으로 학문에
힘써 일찍이 향교에 출입하시어, 이 고장의
유풍진작(儒風振作)을 하시었고, 나아가
산청문화원 회원이시며 두류한시회원으로
오랫동안 활동하시면서, 그동안 여러 가지 보고
느끼신 자연풍광의 소감을 담은
옥고경장(玉稿瓊章)을 4백여 편을 지어
오셨습니다.

원래부터 타고나신 성품이 온후(溫厚)하시고
인자(仁慈)하시며, 모든 행의거동(行儀擧動)이
진실하시어 참으로 명문화벌(名門華閥)의
후예(後裔)의 본보기이시다.

[원고를 태우며(焚藁)]

어린 시절부터 시를 지어서
붓만 잡았다 하면 그만둘 줄 몰랐지
아름다운 보배라 내 먼저 자랑했으니
그 누가 감히 흠집을 따졌으랴

뒷날 와 다시 들추어 보니
편 편마다 좋은 글귀 하나 없구나.
글상자 차마 더럽힐 순 없어
밥 짓는 아궁이에 불살라 버렸다네

작년에 지었던 글도 올해 다시 보니
예전과 다름없어 또 다시 버린다네.
옛 시인 고적도 이런 까닭에
나이 쉰 되어서야 처음 시를 지었겠지

焚藁　　　분고

少年著歌詞　소년저가사
下筆元無疑　하필원무의
自謂如美玉　자위여미옥
誰敢論瑕疵　수감논하자　瑕(티 하)

後日復尋繹　후일복심역　繹(풀어낼 역)
每篇無好辭　매편무호사
不忍汚箱衍　불인오상연
焚之付晨炊　분지부신취　炊(불땔 취)

明年視今年　명년시금년
棄擲一如斯　포척일여사　棄(버릴 포) 擲(던질
척)
所以高常侍　소이고상시
五十始爲詩　오십시위시

위 시는 이규보의 "분고(焚藁)"이다. 어릴
때부터 많은 시를 쓰고 최고라고 자부했지만,
지천명(知天命)의 나이에 되돌아보니 유치하고
졸렬(拙劣)하여 지은 시(詩)를 불살라 버렸다는
것이다.

김택영은 수윤당기(漱潤當記)에서 "천하에
이른바 도술과 문장이라는 것은 부지런함으로
말미암아 정밀해지고, 깨달음으로 말미암아
이루어진다.

진실로 능히 깨닫기만 한다면 예전에 하나를
듣고 알지 못하던 자가 열 가지 백 가지를 알
수 있게 되고, 예전에 천만리 밖에 있던 것을
바로 곁에서 만나볼 수 있게 되며, ... 전날 천
만권의 책에서 구하던 것이 한두 권이면
충분하게 되고.... 비록 그렇지만 이를 깨닫는
법은 방향도 없고 형체도 없어 손으로 쥘 수도
없고 무어라 규정할 수도 없다."고 했다.

시는 시인이 짓는 것이 아니다.

천지 만물이 시인으로 하여금 짓지 않을 수
없게끔 만드는 것이다. 그래서 시에서는 사물이
직접 말을 건넨다.

조선 후기의 문인 이옥(李鈺)은
리언인(俚諺引)이란 글에서 "시는 만물이
사람에게 기탁하여 짓게 하는 것이다. 물 흐르듯
귀와 눈으로 들어와서 단전 위를 맴돌다가
끊임없이 입과 손을 따라 나오니, 시인과는
상관하지 않는다."고 말했다.

사물은 스스로 성색정경(聲色情境)을 갖추고
있어, 단지 시인의 입과 손을 빌려 시가 언어로
형상화된다는 말이다.

조선 후기의 문인 홍양호(洪良浩)는
질뢰(疾雷)란 글에서 "우렛소리에 산이 무너져도
귀머거리는 듣지 못하고, 해가 중천에 솟아도
소경은 보지 못한다.

도덕과 문장의 아름다움을 어리석은 자는 알지
못하며, 왕도와 패도 의(義)와 리(理)의 구분을
속인은 분별하지 못한다.

　아아! 세상의 남아들이여 눈과 귀가 다라고
말하지 말라. 총명(聰明)은 눈과 귀에 있는 것이
아니라 한 조각의 영각(靈覺)에 있는 것이다"라
했으니 예술은 정신의 심장부에 자리하고
있다는 것이다.

　선승 신찬(神贊)은 일찍이 깨달음 없이 습관이
되어버린 참선을 일러 "열린 문으로 나가려
하지 않고, 창문을 두드리는 어리석음이여, 백
년간 문종이를 두드려본들, 언제나 나가볼
기약이 있을꼬(空門不肯出 공문불긍출
投窓也大痴 투창야대치 百年鑽古紙 백년찬고지
何日出頭期 하일출두기)"라 노래한 바 있다.

　방안으로 날아든 벌은 환히 열린 문은
마다하고 굳이 닫힌 창문만 두드린다. 자유의
문은 저기 저렇게 활짝 열려 있는데 집착을
놓지 못해 그걸 보지 못한다.

시인이 시의 묘리를 깨치는 것도 이와
마찬가지다.

 시의 법도 이와 같다. 눈앞에 놓인 좋은 시구를
백날 읊조려본들, 미묘한 깨달음을 만나지
못하면 끝내 한 구절도 얻을 수 없다. 좋은 시를
읽으면서는 그 안에 있는 생기(生機)를 느낄
일이지 어투를 흉내 내어서는 안 된다.

좋은 시는 끊임없는 반란의 산물이어야 한다.
친숙한 관습과 결별이 익숙해진 접점에서
벗어나기를 쉼 없이 추구해야 한다. 남의 흉내를
내지 말고, 나는 나의 길로 시를 깨달을 필요가
있을 뿐이다.

[진경시(眞境詩)]

진경(眞境)의 사전적 의미로는 선경(仙境)을 가리키지만, 여기서는 산수의 경관을 포함한 시적 대상의 전반을 포괄하는 용어로 지칭하고자 한다.

전원시(田園詩)는 전원시인(田園詩人)으로 잘 알려진 도연명(陶淵明)이 추구하던, 전원으로 돌아간 희열의 심정이나 그 속에서 살아가는 평범한 민중들의 생활 체험, 인물고사, 자연경관 등을 부각시킨 작품으로, 철학적 이치에 편중된 도가적 현언시(玄言詩)의 한계를 극복한 예술적 기교를 풍부하게 하는데 기여하여, 왕유(王維), 맹호연(孟浩然), 위응물(韋應物) 등이 이런 창작 경향을 계승 발전시킴으로써 전원산수시파 (田園山水詩派)란 새로운 시파를 형성하였다.

우리나라에서도 이러한 작품이 많이 창작되었는데, 조선시대 이후 강호 자연을 동경하는 사대부 의식과 결부되면서 더욱 폭넓게 확산되었다.

특히 숙종 말년이 후 노론계 지식인들 사이에는
조선 중화를 표방하는 문화 자존이 고양되었다.

 이는 중국의 사상과 문화에서 탈피하여
조선적인 것을 모색하려는 커다란 움직임으로
김창협(金昌協)과 김창흡(金昌翕)에서 본격화되어
그 계승자들인 이병연(李秉淵) 이하곤(李夏坤)
정선(鄭敾) 조영석(趙榮祏) 등에 이르러 난숙한
경지에 도달하게 되어 정선의 진경산수화
(眞景山水畵)와 함께 이들의 시들이 주목받기
시작했다. 김창협은 성정(性情)이 발현되고
천기(天機)가 움직인 시야말로 자연에 가깝기
때문에 참된 시라고 하였고, 김창흡 역시
진기(眞機)와 진태(眞態)의 유무를 기준으로
조선조의 시를 평가하였고, 국풍의 성격을
천진(天眞)의 속성으로 파악하기도 하였다.

 시가(詩歌)의 묘(妙)는 산수(山水)와 상통한다.
대게 청회준무(淸廻峻茂)하고
기려유장(奇麗幽壯)하여 그 모습이 변화가 많고
그 경계를 다하기 어려워서, 바라보면 정신이
솟구치고 다가서면 마음이 녹아나듯 이것이

산수의 빼어남이다.

 시가와 산수가 서로 만나서 정기(精氣)가
모이고 경취(景趣)가 펼쳐진다.

 그러나 조물주에게는 완전한 공력이 없고
사람의 재주는 치우쳐 가려짐이 있기에, 세상의
산수가 모두 빼어나고 클 수 없고 시가 역시
오묘함이 드물다.

 이 때문에 범상한 경계를 밟으면서
기준(奇寯)한 말을 구한다면 보탬이 없을
것이요, 아이의 소리를 가지고 괴려(瑰麗)한
경관을 그린다면 조금도 닮지 못할 것이다.

 이는 산수와 시가 서로 저버린 것인데, 사람이
산수를 저버린 경우가 많았으니 대게
시도(詩道)가 쇠퇴 한지 오래되었다.

 실제 시의 창작에 있어서 중시되어야 할 것은
진경(眞境)의 형상화 방법이라 할 수 있다.

조물주가 오직 신수숙려(神秀淑麗)한 기운을 모아서 기이한 봉우리 깍아지른 절벽을 만들고, 그 기운으로 깊숙한 골짜기를 만들고, 그 기운으로 기이한 나무와 풀, 금빛 은빛 모래와 자갈을 만들었으니 그 지세나 풍경이 참으로 묘하다.

세상에 시를 짓는 사람은 바야흐로 비근(卑近)한 것을 즐겨 익히고 비루하고 진부한 것을 답습하여, 깊은 생각을 내고 독창적인 말을 펼치지 못했다.

그것은 천기(天機)를 움직인 것이 얕아서 흥상(興象)이 멀지 못하고, 사물을 명명한 것이 조잡하여 묘사(描寫)가 진실하지 못하였으니, 이것으로써 산수에 가니 어찌 펼침이 있을 수 있겠는가.

시는 성조(聲調)의 고하(高下)와 자구(字句)의 교졸(巧拙)을 막론하고 그 정(情)과 경(境)을 읊고 그리는 것이 진실(眞實)되어야 이른바 천하에 좋은 시이다.

마가연

옛 절은 창연하게 어지러운 넝쿨로 들고
중향성은 층층바위 위에 솟아 있네.
저물녘 골짜기에는 성근 비가 일고
시냇가 창가에는 늙은 중이 있구나.

해진 자리에 가을이 오니 낙엽이 수북하고
빈 당에 심지 다 타고 등이 홀로 걸렸네.
좋아라, 산봉우리 담무갈(曇無竭)은
아득한 몇 겹 세월에 물어도 대꾸하지 않는구나.

摩訶衍	마가연

古寺蒼然入亂藤	고사창연입란등
衆香城聳石層層	중향성대석층층
夕陽洞口生疎雨	석양동구생소우
流水窓間有老僧	유수창간유노승
廢座秋來多落葉	폐자추례다낙엽
虛堂火盡自懸燈	허당화진자현등
可憐峯上曇無竭	가련봉상담무갈
活劫茫茫問不應	활겁망망문불응

금강산 만폭동의 가장 깊은 곳에 위치한
마가연암을 읊고 있다.

　긴 산줄기들이 가까이서 끌어안고 있고
가로지른 벼랑은 둘러 있으며 흰 돌에 맑은
물이 흐르는데 여기에 이르면 더욱 기이하다.

　좌우에 소나무 회나무가 울창하여 사람으로
하여금 티끌세상 벗어나는 상상을 일으켜
선경에 들어가 인간 세상을 작별한 듯하다.

　해질녁 성근 비가 오는 골짜기를 배경으로
노승의 정태적인 묘사와 높은 곳에서 보면
골짜기에 뿌리는 비가 마치 물 기운이 아래에서
생겨나는 듯이 보이는 것을 시각화하여
회화적인 효과를 가두고 있어 한 폭의 산수화를
보는 것 같다.

만폭동

 푸른 봉우리 붉은 벼랑 안개 속에 아득하고
외길로 치달리는 시내는 선관을 울린다
골짜기 떨어지는 온갖 꽃들 다투듯 날며 춤추고
못에 떨어지는 수많은 구슬들은 움추렸다
퍼졌다
밝은 달 흰구름은 늘 골짜기 가득 찼고
큰구슬, 작은 방울 산을 다 둘렀네
황혼에 골짜기 나서며 다시 고개 돌리니
서글퍼라 요대는 꿈에나 다시 오르리

萬瀑洞　　　　　만폭동

碧嶂丹厓杳靄間　　벽장단애묘애간
奔川一道吼仙關　　분천일도후선관
千花下峽爭飛舞　　천화하협쟁비무
萬玉投潭却蹙還　　만옥투담각축환
明月白雲長滿壑　　명월백운장만학
叢鈴碎珮盡籠山　　총령쇄패진롱산
黃昏出洞重回首　　황혼출동중회수

*惆悵瑤臺夢裏攀　추창요대몽리반

　만폭동 경관을 차례로 그리고 있다.
위로 보이는 봉우리와 벼랑 그리고, 앞으로
보이는 물줄기 골에 떨어지는 수많은 꽃과 못에
쏟아져 내리는 물방울의 모습, 그리고 저물녘
풍광을 보고 돌아서는 아쉬움의 여운이
전달된다. 멀리서 가까운 곳으로 접근하는
원근법을 취하여 한 수의 시 속에 담았다.

　이병연(李秉淵) : 본관은 한산(韓山). 자는
일원(一源). 호는 사천(槎川), 또는
백악하(白嶽下). 부모를 비롯한 그의 출신
배경은 알 수 없다. 백산(白山)이라는 곳에
살았다. 김창흡(金昌翕)의 문인이며, 벼슬은
음보(蔭補)로 부사(府使)에 이르렀다.

　시에 뛰어나 영조시대 최고의 시인으로
일컬어졌다.

문인 김익겸(金益謙)이 그의 시초(詩抄) 한 권을
가지고 중국에 갔을 때 강남(江南)의 문사들이
"명나라 이후의 시는 이 시에 비교가 안
된다."라고 그의 시를 극찬하였다고 한다.
일생동안 무려 10,300여 수에 달하는 많은 시를
썼다고 하나, 현재 시집에 전하는 것은 500여
수뿐이다.

그의 시는 대부분 산수·영물 시로, 대개 서정이
두드러지고 깊은 감회를 불러일으킨다.
특히 매화를 소재로 55수나 되는 시를
지었는데, 이는 대개 은일적인 기분을 표현한
것으로, 생(生)에 대한 깊은 애정을 은연중에
표현하고 있다.

중국의 자연시인 도연명(陶淵明)의 의경을
흠모하였던 것 같다. 80세가 넘도록 시작 생활을
계속하였다. 저서로는 사천시초(槎川詩抄) 2책이
전한다.

*도학적 자연관과 순응의 시

시조 <십리 대숲>은 푸른 대숲을 통하여
청춘의 기상을 발견하고 있다. 시인은 "폭풍우
몰아쳐도 또다시 바로 서니"라며 대나무의
성질을 잘 묘사하고 있으며, 대나무의 빈속을
"인생길 배움의 미학"으로 칭송하고 있다.

특히 옛 선비들은 가꾸지 않아도 잘 자라는
곧은 대나무에서 선비의 풍부한 이상세계와
생명력을 본다.

선비는 사군자 즉 매화, 난초, 국화, 대나무는
생명의 상징으로 좋아하여 글을 짓기도 하고
그림을 그리기도 한다.

선비는 물질적 풍요보다 자연과 더불어
이상세계를 추구한다. 특히 대나무는 다른
나무와 외형적 특징이 뚜렷하게 다르다.

대나무는 흔들리되 어떤 바람에도 꺾이지 않아
지조와 절개로 상징된다.

그리하여 집안에 정원수로 심는 것도 뿌리에서
의협심 단결심을 가르치며 가족에게 높이
솟아오르는 이상을 가르친다.

시조는 우리에 시로 한글의 우수성을 잘 살려
현대 시조의 발전에 꾀해야 할 것이다. 바람에
댓잎 소리를 안부를 묻는 것으로 비유되는
수사법도 좋다.

 시조 <몽돌>은 수 백년 물과 바람에 굴러
내려온 몽돌의 존재가치를 인생에 비유하여 시
한 수를 건져 올리고 있다.

"타관 땅 십여 년 세월 삶에 풍파 몇인가"
자신에게 물으며 "뾰족한 모서리는 "찌르면
상대도 아프고 나도 아프다. "갈리고 깎인
몽돌"은 고난에 적응한 모습이다.

 시인은 자신도 갈고 닦아 "인생사 모나지 않게
살고 싶은 꿈"을 시에 형상화하고 있다.
『한용운 문학상 작품』 시평에서...
  지은경(시인, 문학평론가, 문학박사)

*이땅의 시맥을 잇는 고절의 향기

 우리나라에 처음으로 한시가 들어온 때가
언제인지 모르나 기록으로는 신라의 천재 시인
최치원崔致遠이 12세 때에 당나라에 건너가서
18세에 빈공과賓貢科에 합격, 시인으로 이름을
날리고 많은 작품을 남겼으니 우리 한시의
비조가 아니겠는가.

 그로부터 1천여 년 지나도록 저 하늘의
별만큼이나 쌓이고 쌓인 우리 한시의 전통을
어찌 잇지 않으리오. 1957년 이승만 대통령은
개천절 행사로 손수 시제를 내걸고 시조와 한시
백일장을 열었던 것도 이 겨레가 시의 겨레임을
선포하고, 그 전통을 뿌리내리고자 함이
아니던가.

 바로 여기 한 권 매우 뜻깊고 상찬賞讚 할
시화집이 있으니, 시인이 오래
절차탁마切磋琢磨하여 세상에 빛을 보이는
한시와 시조들이다. 한시 한 수首를 만나보자.

寒梅　　　　　　한매

山陽解凍碧苔霑　산양해동벽태점
萬物蘇生地道謙　만물소생지도겸
凌冒歲寒惟獨笑　능모세한유독소
幽居厭鬧守貧恬　유거염료수빈념
氷肌玉骨姸姿活　빙기옥골연자활
淡白浮香淑氣兼　담백부향숙기겸
自古花魁何不好　자고화괴하부호
臘梅春信誦詩添　랍매춘신송시첨

한매

산기슭 양지 얼음녹아 푸른 이끼 적시니
만물이 소생하는 자연이치 겸손하네
추운겨울 이겨내고 오직 홀로 피었는데
번잡함 싫어 은거함은 안빈낙도 찾음이라
해맑은 하얀 꽃잎 고운자태 싱그러워
담백한 향 떠돌아 화창한 기운 아우르니
자고로 먼저 피는 꽃 어찌 아니 좋아하랴
섣달매화 봄소식에 시를 읊어 덧붙인다

매화는 조선의 선비들이 즐겨 찾는 글감
이었다.

저 조선이 낳은 세계적 대석학 퇴계退溪
이황李滉도 매화 시를 여러 편 쓰셨고, 상촌象村
신흠申欽의 매일생한불매향梅一生寒不賣香의
시구가 오늘도 인구에 회자하는 것도 그것이다.

매화는 굽이지 않는 절개와 향기를 높이 사서
송松, 죽竹, 매梅 세한삼우歲寒三友의 하나이며
사군자 매, 난, 국, 죽의 머리에도 올라 있다.

시인의 한시 한매寒梅는 조선조 큰선비들이
못다 이룬 정서를 담아내고 있다. .... 중략...
『보고파 그리운정』서문 중에서
이근배(시인, 대한민국예술원 회장)

독자메모